LA PAROLE

« INITIATION PHILOSOPHIQUE »

Collection dirigée par Jean LACROIX

●

Comité de patronage :

ALQUIÉ (Ferdinand), *Professeur à la Sorbonne.*

† BACHELARD (Gaston), *Membre de l'Institut, Professeur honoraire à la Sorbonne.*

BASTIDE (Georges), *Doyen de la Faculté des Lettres et Sciences humaines de Toulouse.*

GOUHIER (Henri), *Membre de l'Institut, Professeur à la Sorbonne.*

HUSSON (Léon), *Professeur à l'Université de Lyon.*

MOROT-SIR (Édouard), *Conseiller culturel près l'Ambassade de France à Washington, représentant les Universités françaises aux États-Unis.*

RICŒUR (Paul), *Professeur à la Sorbonne.*

VIALATOUX (Joseph), *Professeur honoraire aux Facultés catholiques de Lyon.*

SUP
« INITIATION PHILOSOPHIQUE »
Collection dirigée par Jean LACROIX

3

LA PAROLE

par

GEORGES GUSDORF

Professeur à la Faculté des Lettres et Sciences humaines de Strasbourg

CINQUIÈME ÉDITION

PRESSES UNIVERSITAIRES DE FRANCE
108, Boulevard Saint-Germain, Paris
1966

DU MÊME AUTEUR

La découverte de soi, P. U. F., 1948.
L'expérience humaine du sacrifice, P. U. F., 1948.
Traité de l'existence morale, Colin, 1949.
Mémoire et personne, P. U. F., 1951.
Mythe et métaphysique, Flammarion, 1953.
La vertu de force, P. U. F., 1957.
Traité de métaphysique, Colin, 1956.
Science et foi, S. C. E., 1956.
Introduction aux sciences humaines, Belles-Lettres, 1960.
Signification humaine de la liberté, Payot, 1962.
Dialogue avec le médecin, Genève, Labor & Fides, 1962.
Kierkegaard, Introduction et choix, Seghers, 1963.
Pourquoi des professeurs ?, Payot, 1963.
L'Université en question, Payot, 1964.
Les sciences humaines et la pensée occidentale :
T. I : *De l'histoire des sciences à l'histoire de la pensée*, Payot, 1966.

DÉPOT LÉGAL

1re édition .. .. .. 4e trimestre 1952
5e — .. .. .. 2e — 1966

DÉFINITIONS

Le *langage* est une fonction psychologique correspondant à la mise en œuvre d'un ensemble de dispositifs anatomiques et physiologiques, se prolongeant en montages intellectuels pour se systématiser en un complexe exercice d'ensemble, caractéristique, entre toutes les espèces animales, de la seule espèce humaine.

La *langue* est le système d'expression parlée particulier à telle ou telle communauté humaine. L'exercice du langage produit à la longue une sorte de dépôt sédimentaire, qui prend valeur d'institution et s'impose au parler individuel, sous les espèces d'un vocabulaire et d'une grammaire.

La *parole* désigne la réalité humaine telle qu'elle se fait jour dans l'expression. Non plus fonction psychologique, ni réalité sociale, mais affirmation de la personne, d'ordre moral et métaphysique.

Le langage et la langue sont des données abstraites, des conditions de possibilité de la parole, qui les incarne en les assumant pour les faire passer à l'acte. Seuls existent des hommes parlants, c'est-à-dire capables de langage, et qui se situent dans l'horizon d'une langue. Il y a donc une hiérarchie de degrés de signification depuis le simple *son* vocal, qui se stylise en *mot* par l'imposition d'un sens social, jusqu'à la *parole* humaine effective, chargée d'intentions particulières, messagères de valeurs personnelles.

LA PAROLE COMME SEUIL DE L'UNIVERS HUMAIN

Un personnage mis en scène par Diderot dans l'Entretien qui fait suite au *Rêve de d'Alembert*, évoque « au Jardin du Roi, sous une cage de verre, un orang-outang qui a l'air d'un saint Jean prêchant au désert ». Le cardinal de Polignac, admirant un jour la bête, lui aurait dit : « Parle, et je te baptise... » Ce mot d'un homme d'Église bel esprit rapporté par un homme de lettres mécréant porte sans doute plus loin que l'auteur même et le mémorialiste ne le pensaient. Il s'agissait de mettre en lumière le peu de distance entre l'animal et l'homme qui se croit tellement supérieur, et pense augmenter encore sa dignité par la vertu du sacrement. Diderot découvre ici avant la lettre l'argument que certains darwiniens tireront des théories évolutionnistes contre les prétentions à l'éminente dignité de l'homme. De la bête à la personne, la coupure est infime. Il ne manque à l'animal, en vérité, que la parole.

Sans doute. Seulement l'orang-outang n'a pas répondu au cardinal. Il n'a pas proféré le maître-mot qui lui aurait décidément fait franchir le seuil de l'animalité à l'humanité. Le langage est la condition nécessaire et suffisante pour l'entrée dans la patrie humaine. Une anecdote antique évoque un philosophe naufragé, jeté par la tempête sur un rivage inconnu. Sur le sable de la plage, il aperçoit, tracées par un promeneur, quelques figures de géométrie. Alors, se retournant vers ses compagnons, il leur dit : « Nous sommes saufs : j'aperçois ici la marque de l'homme. » L'écriture mathématique, langage par excellence en lequel tous les hommes communient par delà la diversité des idiomes, est l'attestation souveraine de l'établissement de l'homme sur la terre. Les bêtes ne parlent que dans les contes de fées. Et c'est pourquoi les hommes, depuis qu'ils parlent, ont pu domestiquer les animaux, tandis que les animaux n'ont jamais réussi à domestiquer l'homme.

L'homme est l'animal qui parle : cette définition, après tant d'autres, est peut-être la plus décisive. Elle recouvre et absorbe les définitions traditionnelles, par le rire ou par la sociabilité. Car le rire de l'homme affirme un langage de soi à soi, et de soi aux autres. De même, dire que l'homme est animal politique, alors qu'il existe des animaux sociaux, c'est signifier que les rapports humains s'appuient sur le langage. La parole n'intervient pas pour faciliter ces rapports ; elle les constitue. L'univers du discours a recouvert et transfiguré l'environnement matériel.

Mais dire que le langage fournit le mot de passe pour l'entrée dans le monde humain, c'est poser un problème et non pas le résoudre. Rien de plus paradoxal en effet que l'apparition du langage chez l'homme. L'anatomie, la physiologie, ne procurent ici que des explications fragmentaires et insuffisantes. Un savant d'une espèce étrangère à notre planète et qui se bornerait à examiner les dépouilles de l'homme et des singes supérieurs ne discernerait probablement pas cette différence capitale entre un homme et un chimpanzé, dont l'organisme présente tant de ressemblances. S'il ne le savait par ailleurs, il ne découvrirait pas que la fonction du langage existe chez l'homme et fait défaut chez le grand singe.

La parole apparaît comme une fonction sans organe propre et exclusif, qui permettrait de la localiser ici ou là. Un certain nombre de dispositions anatomiques y contribuent, mais dispersées à travers l'organisme, et liées ensemble pour le seul exercice d'une activité qui se superpose à elles sans les confondre. Nous parlons avec nos cordes vocales, mais aussi bien grâce à certaines structures cérébrales, avec le concours des poumons, de la langue, de la bouche tout entière, et même de l'appareil auditif, — car le sourd de naissance est nécessairement muet. Or toutes les composantes de la parole existent chez le singe supérieur, mais, s'il lui arrive d'émettre des sons, il est pourtant incapable de langage.

Le mystère est ici celui d'une reprise des possibilités naturelles, de leur coordination dans un ordre supérieur et proprement surnaturel. Si le chimpanzé a la possibilité du langage, mais non pas sa réalité, c'est que la fonction de la parole, dans son essence, n'est pas une fonction organique, mais une fonction intellectuelle et spirituelle. Les savants ont essayé de cerner le mystère autant que possible, et de départager, en de multiples expériences, l'homme et l'animal. On a soumis les deux concurrents à des séries de tests soigneusement étalonnés. Mieux, on a été jusqu'à élever côte à côte dans des conditions identiques un petit singe et un petit enfant, de manière à suivre dans le détail le développement des diverses fonctions. Le point de départ est apparemment le même. Le bébé humain et le bébé chimpanzé utilisent des ressources analogues pour s'établir dans leur univers en voie d'élucidation progressive. De 9 à 18 mois, entre les deux concurrents, la partie demeure égale. Ils répondent aux mêmes tests avec des succès divers, l'un et l'autre témoignant de sa supériorité selon les circonstances. Le petit singe est sans doute plus adroit ; le petit homme est capable d'une attention relativement mieux soutenue.

Mais le moment vient assez vite où le développement du singe s'arrête, alors que celui de l'enfant prend un nouvel essor. La comparaison perd son sens. Le singe n'est décidément qu'un animal. Le bébé accède à la réalité humaine. La limite ici qui les départage enfin d'une manière absolue, c'est le seuil du langage. Le chimpanzé peut émettre certains sons, il pousse des cris de plaisir ou de peine. Mais ces gestes vocaux demeurent chez lui soudés à l'émotion. Il ne sait pas en faire un usage indépendant de la situation dans laquelle ils surviennent. Le dressage le plus laborieux n'aboutit qu'à de médiocres résultats : c'est la répétition mécanique du perroquet ou le réflexe conditionnel créé chez l'animal qui répond automatiquement à un signal donné, tel le chien aboyant au commandement.

L'enfant au contraire s'engage dans une lente éducation qui fera de lui un nouvel être dans un monde renouvelé. Cet apprentissage, étendu sur des années, se fonde sur l'association de la voix et de l'audition au service d'une fonction nouvelle dont les possibilités dépassent infiniment celles des sens élémentaires ainsi apparentées. L'intelligence humaine se fraye un chemin à travers les structures sensori-motrices qu'elle unit par l'affirmation d'une finalité supérieure. Nous devons constater cette émergence, et admettre qu'elle ne se réalise pas chez l'animal, dont la voix ne s'émancipe jamais de la totalité vécue, pour faire alliance avec le sens auditif.

Cette dissociation et cette association ne nous sont pas explicables, sinon par une vocation originaire à l'humanité dans l'homme, qui donne progressivement à la nouvelle fonction de la parole une prépondérance incontestable dans le comportement. C'est ici qu'il faut situer, dans la série des êtres vivants, la ligne de démarcation qui sépare l'homme de l'animal, par la vertu d'une mutation décisive.

L'avènement du mot manifeste la souveraineté de l'homme. L'homme interpose entre le monde et lui le réseau des mots et par là devient le maître du monde. L'animal ne connaît pas le *signe*, mais le *signal* seulement, c'est-à-dire la réaction conditionnelle à une situation reconnue dans sa forme globale, mais non analysée dans son détail. Sa conduite vise l'adaptation à une présence concrète à laquelle il adhère par ses besoins, ses tendances en éveil, seuls chiffres pour lui, seuls éléments d'intelligibilité offerts par un événement qu'il ne domine pas, mais auquel il participe. Le mot humain intervient comme un abstrait de la situation. Il permet de la décomposer et de la perpétuer, c'est-à-dire d'échapper à la contrainte de l'actualité pour prendre position dans la sécurité de la distance et de l'absence.

Le monde animal apparaît ainsi comme une succession de situations toujours présentes et toujours évanouissantes, définies seulement par leur référence aux exigences biologiques du vivant. Au contraire, le monde humain se présente comme un ensemble d'objets, c'est-à-dire d'éléments stables de réalité, indépendants du contexte des situations particulières dans lesquelles ils peuvent intervenir. Par delà la réalité instinctive et momentanée offerte à la prise de conscience la plus spontanée, se compose une réalité en idée, plus stable et plus vraie que l'apparence. L'objet, qui résiste au désir, devient le centre des situations, au lieu de leur être toujours subordonné. Le mot importe plus que la chose, il existe d'une existence plus éminente. Le monde humain n'est plus un monde de sensations et de réactions, mais un univers de désignations et d'idées.

Il importe de s'émerveiller devant cette découverte du mot, introduisant à la réalité humaine par delà le simple environnement animal. La vertu du nom s'affirme dans le fait qu'il donne l'*identité* de la chose. Le langage condense en soi la vertu d'humanité qui permet l'élucidation des pensées par l'élucidation des choses. Les structures intellectuelles émergent de la confusion ; c'est à leur niveau désormais que se réalisera l'action la plus efficace, action à distance et négation de la distance.

Rien ne met mieux en lumière le privilège du langage dans la constitution du monde que la contre-épreuve réalisée par les maladies du langage. L'aphasique, en qui sont atteintes les structures de la parole, n'est pas simplement privé d'un certain nombre de mots, incapable des désignations correctes. Cet aspect de son mal, longtemps considéré comme essentiel, n'est en fait que secondaire. Le malade est un homme en qui la fonction du langage se défait, c'est-à-dire que toute l'articulation intellectuelle de l'existence se trouve chez lui en voie de liquidation. L'aphasique perd le sens de l'unité et de l'identité de l'objet. Dans un monde cassé, incohérent, il est captif de la situation concrète, condamné à un mode de vie végétatif. Il n'y a donc pas à proprement parler de maladies du langage, mais des troubles de la personnalité, où le patient se trouve désadapté de la réalité humaine, et comme déchu de cet univers dans lequel l'émergence de la parole l'avait fait entrer. Les termes qui rassemblaient sous une même étiquette des objets ou des qualités identiques ne parviennent plus à exercer leur fonction disciplinaire. Tout ce que le langage avait donné, l'aphasie le remporte. Sinistre destruction d'une vie personnelle ainsi exclue de la communauté humaine.

A proprement parler, le langage ne crée pas le monde ; objectivement le monde est déjà là. La vertu du langage est pourtant de constituer à partir de sensations incohérentes un univers à la mesure de l'humanité. Et cette œuvre de l'espèce humaine depuis les origines, chaque individu qui vient au monde la reprend pour son compte. Venir au monde, c'est *prendre la parole*, transfigurer l'expérience en un univers du discours. Selon une formule célèbre de Marx, la 11e des Thèses sur Feuerbach, « les philosophes ont simplement interprété le monde de façon différente ; il s'agit de le transformer ». On peut dire, à cet égard, que l'apparition du langage a été mieux qu'une philosophie, mieux qu'une simple transcription ; elle a signifié un bouleversement des conditions de l'existence, un remaniement du milieu pour l'établissement de l'homme.

Le mot doit son efficace au fait qu'il est non pas notation objective, mais *index de valeur*. Le nom le plus banal ne limite pas son action à l'objet qu'il dénomme, en paraissant l'isoler du contexte ; il détermine l'objet en fonction de son environnement. Il cristallise la réalité, il la condense en fonction d'une attitude de la personne. Il exerce un choix implicite, dans le sillage d'une visée cosmique. Autrement dit, chaque mot est le *mot de la situation*, le mot qui résume l'état du monde en fonction de ma décision. Sans doute l'objectivité du langage établi masque d'ordinaire le sens personnel, pourtant le mot véritable est beaucoup moins un en soi qu'un pour moi,

Il implique un projet du monde, un monde en projet. En sorte que la valeur du langage ne se distingue pas, finalement, de la valeur du monde. La parole n'est pas seulement riche des idées, elle recouvre et assume toutes les orientations, les visées, les désirs, les disciplines personnelles à l'état naissant. La conscience, inefficace aussi longtemps qu'elle demeure solitaire, éclate vers le monde, elle éclate en forme de monde, révélant le monde à l'homme, annonçant l'homme au monde. Le langage, c'est l'être de l'homme porté à la conscience de soi, — l'ouverture à la transcendance.

L'invention du langage est ainsi la première des grandes inventions, celle qui contient en germe toutes les autres, moins sensationnelle peut-être que la domestication du feu, mais plus décisive. Le langage se présente comme la plus originaire de toutes les techniques. Il constitue une discipline économique de manipulation des choses et des êtres. Une parole fait souvent plus et mieux qu'un outil ou qu'une arme pour la prise de possession du réel. Car la parole est structure d'univers ; elle procède à une rééducation du monde naturel, qui grâce à elle devient la surréalité humaine, à la mesure de la nouvelle puissance qui l'a suscitée. Orphée, le premier de tous les poètes, charmait de ses incantations les bêtes, les plantes et les pierres elles-mêmes qui obéissaient à sa voix. Le mythe ici nous restitue le sens de la parole humaine, dont l'autorité s'impose à l'univers.

LA PAROLE ET LES DIEUX : THÉOLOGIE DU LANGAGE

Si la vertu de la parole s'avère pareillement décisive, il faut bien admettre qu'elle revêt un caractère qui dépasse les possibilités de l'homme. Les dieux philanthropes de la mythologie grecque avaient doté l'espèce humaine du blé, de l'olivier, de la vigne ; de même, le don du langage doit avoir une origine divine. Davantage encore, la première parole, dans son efficacité transcendante, est étroitement liée à l'institution de l'humanité ; la première parole est la *vocation* même de l'homme à l'humanité. La première parole doit avoir été Parole de Dieu, créatrice de l'ordre humain. Parole de grâce, appel d'être, appel à l'être, le premier mot est donc essence qui inclut l'existence, qui provoque l'existence.

Ce prototype de la parole en sa plénitude s'impose à la conscience universelle, depuis ses degrés les plus humbles jusqu'à ses formes les plus raffinées. Partout s'affirme la primauté d'un Verbe divin, communiqué ensuite à l'homme tout enrobé encore de sa signification transcendante. Le premier langage est langage essentiel ; il a valeur magique et religieuse. Non pas simple désignation, mais réalité éminente, par la vertu de laquelle il est possible à l'homme de réaffirmer le geste dénominateur et ensemble créateur de Dieu, et de capter à son profit les puissances qu'il met en jeu.

La signification du nom chez les primitifs est liée à l'être même de la chose. Le mot n'intervient pas comme une étiquette plus ou moins arbitrairement surajoutée. Il contient en soi la révélation de la chose elle-même dans sa nature la plus intime. Savoir le nom, c'est avoir puissance sur la chose. Par exemple, une peuplade primitive des Indes néerlandaises possède un système de médecine qui repose tout entier sur les noms des maladies et des remèdes. On utilisera les plantes et les substances dont le nom évoque la santé ou la guérison, on évitera celles dont le nom fait penser à la maladie, comme si en France on employait l'œillet pour le mal à l'œil, ou les pois pour les patients qui désirent gagner du poids... Le calembour devient une technique parce que le jeu de mots indique une opération au niveau même de l'être. Dans une pareille perspective, on conçoit la nécessité d'une hygiène rigoureuse, d'une prophylaxie des noms. Il importe de préserver l'identité ontologique des choses et des personnes contre l'étranger, l'ennemi. Le véritable nom sera tenu secret, puisqu'il est un mot de passe pour accéder à une vie ainsi livrée sans défense aux entreprises hostiles. Les dieux eux-mêmes sont soumis à la puissance de celui qui les invoque par leur nom. Le simple usage inconsidéré d'un mot peut entraîner des conséquences désastreuses. L'homme ou le dieu seront donc désignés, dans l'usage courant, par de faux noms inoffensifs, les noms véritables, — sauvegardés par les rites mystérieux de l'initiation, — étant réservés pour les opérations magiques et religieuses, et confiés seulement aux spécialistes, sorciers ou prêtres, hommes de l'art.

Le domaine de la magie du nom apparaît immense. Il s'étend à l'humanité primitive dans son ensemble. Il réapparaît d'ailleurs aux origines de chaque vie personnelle, car l'enfance de l'homme répète l'enfance de l'humanité. M. Piaget a décrit une période de *réalisme nominal* où l'enfant qui vient d'accéder à la parole donne à cet outil une valeur transcendante. Savoir le nom, c'est avoir saisi l'essence de la chose et pouvoir dès lors agir sur elle. D'où les interrogations fiévreuses du petit enfant avide de savoir « comment ça s'appelle », puisque c'est pour lui une manière de s'approprier tout ce qu'il est capable de nommer. Ici encore, le mot est appel d'être, la pensée mobilise une réalité dont elle ne se dissocie jamais.

Le premier homme nous apparaît donc comme celui pour lequel le langage demeure sous le régime de l'alliance ontologique. Cette conscience confuse du primitif ne disparaît pas lorsque naissent de nouvelles formes de civilisation. L'expression intellectuelle se perfectionne, mais l'intention demeure identique. Les grandes religions font toutes une place à une doctrine du Verbe divin dans l'institution du réel. Dans l'ancienne Égypte, le démiurge a créé le monde en prononçant les noms des choses et des êtres. La parole souveraine suffit à constituer toute réalité par le seul énoncé du nom. La sagesse égyptienne compare au Verbe divin le commandement du pharaon. Le roi parle, et toutes choses se font comme il a dit, par la vertu du caractère sacré inhérent à la personne du monarque. Dans la spiritualité hindoue, un même mot désigne à la fois le nom, le corps et la forme de l'homme. Un hymne védique enseigne que la parole fut créée par les sept sages qui fondèrent le sacrifice, centre de toute la vie religieuse. Le sacrifice lui-même a pour but de « suivre les traces de la parole ». Le brahmanisme a même résumé toute son ascèse spirituelle dans un mot clef, — la syllabe *om*, — non pas simple désignation, mais indicatif de l'être, énoncé de la réalité suprême en sa plus haute présence mystique. Comprendre cette syllabe, c'est transcender la condition humaine, et se perdre dans l'unité divine.

La sagesse traditionnelle de la Chine est restée étrangère à toute affirmation religieuse proprement dite. Dans cette morale, cet art de vivre, le langage revêt pourtant une signification capitale, car l'ordre des mots implique l'ordre des choses. L'univers se présente comme un discours cohérent, dont il importe que chacun respecte religieusement l'organisation. Une doctrine attribuée à Confucius énonce que « le bon ordre dépend entièrement de la correction du langage ». Si le langage va de travers, l'univers risque de se trouver en déséquilibre. « Si les désignations ne sont pas correctes, explique Confucius, les paroles ne peuvent être conformes ; si les paroles ne sont point conformes, les affaires d'État n'ont aucun succès ; si les affaires n'ont aucun succès, ni les rites, ni la musique ne fleurissent (...) ; les punitions et les châtiments ne peuvent toucher juste, le peuple ne sait comment agir. Aussi le Sage, quand il attribue des désignations, fait-il toujours en sorte que les paroles puissent s'y conformer et, quand il les emploie, fait-il aussi en sorte qu'elles se réalisent en action. » Ce texte met en lumière avec une vigueur saisissante la validité transcendante de la parole humaine. Les mots ont une consistance qui engage la signification de l'univers : le bon usage de la parole contribue au mouvement du monde comme à la célébration de la liturgie cosmique. L'empereur Che Houang ti, pour assurer son autorité et consolider la paix, réforme l'écriture dans le sens de l'uniformité, publie un dictionnaire officiel, et, fier de son œuvre, proclame sur ses stèles : « J'ai apporté l'ordre à la foule des êtres et soumis à l'épreuve les actes et les réalités : chaque chose a le nom qui lui convient. » C'est ainsi que Richelieu, en France, préparera l'œuvre de la monarchie absolue par la fondation de l'Académie, chargée de définir un code du bon usage de la langue, en élaborant un dictionnaire et une grammaire. Plus près de nous, on s'étonnait, il n'y a guère, de voir le chef de l'État soviétique faire œuvre de philologue dans un écrit où il prenait position sur le problème de l'avenir des langues humaines, prévoyant l'unification progressive des idiomes. C'est que l'établissement d'un empire ne va pas sans une centralisation correspondante du langage. Toute réforme importante, toute révolution exige un renouvellement du vocabulaire. On n'a pas transformé les hommes aussi longtemps qu'on n'a pas modifié leur façon de parler.

Cette liaison intime du langage avec l'être du monde et de l'homme, sous quelque forme qu'elle soit ressentie, apparaît donc comme un caractère constant de la conscience humaine des valeurs. Les livres sacrés du christianisme affirment eux aussi la signification divine du langage. C'est la parole de Dieu qui a appelé le monde à l'existence. Dieu dit, et les choses sont ; le Verbe est en lui-même créateur. Le sens de cette parole ontologique demeure présent à l'horizon de la pensée chrétienne, comme une visée de plénitude. La Révélation chrétienne n'est autre que la Parole de Dieu, telle que la manifestent les livres saints. Et Jésus-Christ, le Fils de Dieu qui opère une sorte de nouvelle création spirituelle de l'humanité, se présente comme le Verbe incarné ; il est la Parole de Dieu faite homme à l'œuvre sur la terre, dans la plénitude de sa puissance, qui ouvre les yeux des aveugles et ressuscite les morts.

Il y a d'ailleurs dans la Bible toute une théologie du nom, correspondant à cette ontologie du langage. Le Dieu des chrétiens est un Dieu caché, aucun nom ne nous livre son essence. Telle est déjà la leçon de l'Ancien Testament qui nous montre le Tout-Puissant se révélant à Moïse, en se présentant sous la désignation du fameux tétragramme hébraïque *Yahweh* (abusivement transcrit *Jehovah*). Or ce nom de Dieu n'est justement pas un nom, mais seulement une affirmation d'existence, une forme verbale signifiant simplement : *il est*. L'homme ne peut connaître le nom de Dieu, parce que connaître ce nom, ce serait pour la créature se trouver à égalité avec son créateur. Seul le créateur sait les noms des êtres qu'il a créés, — c'est-à-dire qu'il n'y a en eux rien de caché pour lui. Sur le Sinaï, l'Éternel dit à Moïse : « Je te connais par ton nom... » (*Exode*, XXXIII, 12). Et lorsque Jésus, au début de son ministère, impose à un de ses premiers disciples un nom nouveau : « Tu es Simon, fils de Jonas ; tu seras appelé Céphas » (*Jean*, I, 42), ce changement de dénomination correspond à la *vocation* de Pierre ; il consacre la conversion de l'apôtre, appelé par le nom nouveau à une nouvelle vie. Dans la stricte tradition chrétienne, le nom authentique est d'ailleurs le nom de baptême, donné de la part de Dieu à l'enfant. L'affaiblissement du surnom au profit du nom de famille est un signe de la déchristianisation moderne.

L'homme devrait donc servir Dieu dans le monde en respectant sa parole. Le langage humain ainsi gagé par la Providence divine assurerait l'ordre dans la piété. Or le livre de la Genèse nous montre, très vite, l'humanité déchirée contre elle-même, ainsi méconnaissant l'harmonie préétablie de la création. L'histoire sainte se présente comme une suite de désobéissances en chaîne, en lesquelles se multiplie sans fin la transgression originelle. L'épisode de la tour de Babel symbolise cette déchéance des peuples oublieux de la parole divine. « Toute la terre avait une seule langue et les mêmes mots » (*Genèse*, XI, 1). Mais Dieu, pour punir la démesure orgueilleuse de l'entreprise humaine, fait échec au projet en opérant la confusion des langues. La langue unitaire de la création fait place à la diversité des langues du péché, qui rend les hommes étrangers les uns aux autres. « C'est là que l'Éternel confondit le langage de toute la terre, et c'est de là que l'Éternel les dispersa sur la face de toute la terre » (XI, 9). Et depuis lors ceux qui rêvent, chrétiens ou non, de la réconciliation de la terre, recherchent le secret d'un espéranto universel ou d'une langue zonale, dont l'œcuménisme aurait la merveilleuse vertu de résoudre le malentendu millénaire de la méchanceté humaine.

Mais la tour de Babel n'est pas le dernier mot de la doctrine chrétienne du langage. Un autre épisode fait écho, dans le Nouveau Testament, à la tragédie de la Genèse. C'est la révélation de la Pentecôte, le Saint-Esprit descendant sur les apôtres et leur conférant le don des langues. Ainsi se trouve compensée la dissociation primitive, par le retour mystique à l'unité. Non qu'il faille imaginer les apôtres subitement doués d'un savoir polyglotte et encyclopédique. Le sens est sans doute que le disciple du Christ possède ce pouvoir de réconcilier en soi la diversité des hommes, et de découvrir la parole même qui convient à chacun en particulier, comme un chemin pour pénétrer jusqu'au plus secret de son âme. La pluralité des langues subsiste. Elle n'est dépassée qu'en intention ; elle est vaincue dans l'espérance de la foi.

La pensée chrétienne a donc posé avec profondeur les problèmes du langage. Elle a mesuré l'écart entre la Parole de Dieu et la parole humaine ; elle-même oscillant entre la parole de Babel, parole d'orgueil et d'échec, et la parole de grâce, la parole rachetée de la Pentecôte. Le refus de la parole transcendante, la découverte de la relativité du langage, marquent une date capitale dans la vie spirituelle de l'humanité. Babel répète la sortie du paradis terrestre. L'harmonie préétablie du jardin d'Éden correspondait au sommeil dogmatique de l'innocence avant la faute. L'homme se reposait sur les sécurités de la conscience mythique, dans un univers sans problème dont chaque aspect lui disait une intention divine. Après la chute, après Babel, l'homme se découvre le maître d'un langage désenchanté, dont il doit lui-même assumer, pour le bien comme pour le mal, la responsabilité. La parole n'est plus gagée par la prédestination providentielle qui la figeait en un ordre surhumain. Au niveau de la conscience mythique, il n'y a qu'un seul langage, un langage divin, qui réalise l'unité du monde. Il n'y a qu'un seul monde, parce qu'il n'y a qu'une seule parole. Tous les problèmes sont résolus, parce qu'ils ne sont pas posés. La catastrophe de Babel ouvre à l'activité humaine l'entreprise de la réflexion et celle de la liberté.

LA PAROLE ET LES PHILOSOPHES

La ligne de démarcation symbolique est donc celle de la conscience prise que le mot ne va pas de soi, mais de nous. Le règne humain se décroche de l'ontologie. Moment de l'étonnement, et du désenchantement, de l'inquiétude : c'est l'heure de la philosophie. L'homme s'aperçoit qu'en dépit de tous les interdits mythiques, il peut toucher aux mots qui jusque-là le courbaient sous leur loi. Les mots attendent de lui leur justification. Un transfert de pouvoir consacre cette découverte. Le monde mythique était un monde de dénominations, un nom pour chaque chose, chaque chose selon son nom. Le monde de la réflexion au contraire est un monde de sens : les dénominations ne valent pas sans les intentions.

L'aventure de la pensée occidentale commence quand la réflexion grecque met en lumière l'autonomie de la parole humaine. Il appartient à l'homme de créer sinon les réalités de la nature, du moins le sens de ces réalités. Par là, l'homme, mesure de toutes choses, est un dieu dans son univers, un dieu qui entre en compte avec les dieux, et prétend leur disputer la possession du monde. La rhétorique et la sophistique grecques attestent que le monde où nous vivons est un monde de la parole, que l'homme habile peut constituer à son gré pour faire illusion à autrui. L'artifice dès lors confine à l'impiété, puisqu'il dénie à la vérité toute valeur transcendante, et ne laisse plus subsister qu'une technique trop humaine. Contre cette anarchie menaçante se dresse alors la réclamation de Socrate qui veut sauver l'unité humaine par une exégèse radicale du discours. Les mots ne nous appartiennent pas, proteste Socrate, comme une proie pour notre caprice. L'élucidation des mots s'impose comme un examen de conscience. L'impératif catégorique de la propriété des termes coïncide avec le devoir de fidélité à soi-même et d'obéissance aux dieux.

Platon et Aristote prolongeront l'effort socratique vers l'unité retrouvée par la convergence des sens humains. L'expérience immédiate est celle du désordre, mais l'intervention de la pensée opère le retour à l'harmonie, qui est une redécouverte du divin. Tel est en effet le point de départ de la réflexion platonicienne : le *Cratyle*, l'un des plus importants parmi les premiers dialogues, a pour objet, comme l'indique son sous-titre, la « rectitude des mots ». La philologie est bien le commencement de la philosophie. Elle chassera du temple de la sagesse les sophistes, illusionnistes et thaumaturges qui, mêlant à plaisir le vrai et le faux, détruisent toute sagesse et toute piété. La méthode socratique se présente comme une enquête sur le vocabulaire : qu'est-ce que le courage ? la justice ? la piété ? L'interviewé répond d'abord avec assurance, il propose telle ou telle formule banale dont Socrate lui montre sans peine qu'elle est contradictoire et ne signifie rien. Le *sens commun* est un mauvais maître ; il faut l'abandonner pour recourir au *bon sens*. La réflexion, sous l'aiguillon de l'ironie socratique, met en œuvre l'arbitrage en chacun d'un jugement plus profond, maître de Vérité par delà les apparences. Il apparaît ainsi que les mots les plus simples et les plus usés sont pourtant indicateurs de l'être, révélateurs en nous d'une Pensée qui dépasse notre pensée et l'authentifie.

L'œuvre maîtresse de la philosophie grecque a donc eu pour ambition de donner à la vérité un langage. La doctrine platonicienne des idées relie le monde des mots et des apparences à un monde en droit des formes transcendantes. La pensée humaine est sauvée puisque la dialectique permet à l'humain d'invoquer la caution du divin. Aristote substituera aux Idées de Platon des essences conceptuelles auxquelles l'homme a directement accès par une intuition appropriée. La parole sera justifiée par la constitution de la métaphysique, répondant victorieusement à la critique des sophistes. Mais cette parole métaphysicienne a perdu à jamais l'innocence massive de la parole mythique préréfléchie. Celle-ci se présentait comme un monologue divin, la discipline du langage consistant pour l'homme à respecter l'ordre transcendant. La nouvelle ontologie se présente comme un *dialogue*, c'est-à-dire comme une œuvre commune et une contestation, — dialogue où d'abord Socrate l'éveilleur tient l'une des deux parties, mais pour s'effacer bientôt, dialogue de chacun à soi-même, dialogue de la raison avec les dieux. Tel est le sens de la *dialectique*, où s'affirme une participation croissante de l'esprit humain à l'œuvre de la parole. L'humanisme radical des sophistes, qui proclamait l'affranchissement de toute norme transcendante, a eu pour conséquence, chez ceux-là mêmes qui soutiennent contre le relativisme le primat d'une vérité en droit, une sorte de mobilisation de l'ontologie, qui se monnaye en concepts, en idées, entre lesquels se répartit l'être monolithique des primitifs.

Du même coup s'affirme la conscience d'une activité

du jugement humain, appelé à assurer la participation du langage à l'être. La vérité, au niveau de la parole, doit être construite et sans cesse critiquée. L'homme a juridiction sur les mots, il lui appartient de les aligner sur l'être. La pensée antique associe en soi un réalisme ontologique du concept et un idéalisme intellectualiste du jugement, dont l'unité est appelée à se désagréger par la suite, — le problème du langage devenant ainsi le problème par excellence de la métaphysique. Cette préoccupation apparaît au centre même de la pensée médiévale, qui peut être comprise comme un immense débat sur le thème de la validité ontologique de la parole humaine. Les diverses écoles s'efforcent de résoudre le problème des universaux : quelle est la nature des idées générales auxquelles renvoient les mots dont nous faisons usage ? Y a-t-il, pour donner consistance à nos paroles, des réalités spirituelles transcendantes, idées platoniciennes, essences, — ou bien les concepts ne sont-ils rien d'autre que les mots qui les désignent ? Existe-t-il une humanité distincte des hommes concrets, ou l'humanité n'est-elle qu'un nom ? Entre l'ontologisme conceptualiste et le nihilisme nominaliste, une gamme de positions très nuancées définissent des orientations d'esprit diverses.

Ces contestations indéfinies nous étonnent aujourd'hui par la passion qu'elles mettent en œuvre à propos d'un problème qui paraît purement verbal. Mais c'est qu'à propos du sens des mots les fondements mêmes de la métaphysique et de la théologie se trouvent mis en question. Si les individus seuls existent, si les genres ne sont que des noms, les trois Personnes de la Trinité ne peuvent coïncider, et nous sommes la proie du polythéisme. De même, la faute d'Adam, si elle est faute d'un homme et non de l'humanité, ne saurait s'être transmise, et le dogme du péché originel devient contradictoire. Mais inversement, si seul existe le genre, les individualités s'effacent. La réalité singulière de chaque homme se dissout dans l'humanité globale, et c'est une nouvelle hérésie qui menace, celle du panthéisme. La vigilance des docteurs doit demeurer sans cesse en éveil. Chaque parole implique une profession de foi, et la menace de l'excommunication pèse sur celui qui en jouant sur les mots risque de détruire la chrétienté.

Les jeux trop subtils de la scolastique devaient nécessairement finir par soulever la méfiance et l'hostilité des meilleurs esprits. Sous prétexte d'interpréter la parole de Dieu, c'est en fait une sophistique renouvelée qui s'affirme dans les débats stériles de l'École, où se construisent, selon les liturgies minutieuses de la discussion, des châteaux de cartes intellectuels. Ce faisant, à force de formules et d'arguments, les docteurs ont tout embrouillé. Ils ont perdu le contact avec le Dieu de l'Évangile et le monde de l'expérience. Si l'on veut retrouver le chemin de la piété, de la sagesse, de la vérité, il faut repartir à zéro, c'est-à-dire créer une nouvelle langue. Toute révolution spirituelle ou intellectuelle exige une transformation préalable du langage établi. La Renaissance et la Réforme en sont un exemple particulièrement probant.

L'immense bouleversement de la Renaissance trouve en effet dans la naissance de la *philologie* moderne non seulement son symbole, mais peut-être son noyau. Les doctes, désormais, ne sont plus des théologiens, des disputeurs, mais des lettrés, des érudits qui se mettent en devoir de ressusciter les langues mortes. D'abord le latin : or il y avait un latin vivant, le latin d'église, langue mère de la liturgie et de la scolastique. Les humanistes affirment que cet idiome est un fruit de décadence. Par delà la basse latinité médiévale, ils préconisent le retour à la pureté cicéronienne. L'étude du latin se complète désormais par celle du grec, négligé par l'Église d'Occident. Et la philologie classique, devenue une discipline rigoureuse qui s'attache, par delà les mots, aux hommes et aux civilisations, fait même une place aux études sémitiques dans le nouveau Collège de France, institution laïque, créée à côté des collèges traditionnels et des facultés médiévales.

Il s'agit là de bien davantage que d'un simple remaniement du plan d'études de l'enseignement supérieur. La nouvelle compréhension des langues anciennes ouvre à la pensée des horizons élargis : la création de la philologie est ici une sorte d'équivalent des grandes découvertes qui, à la même époque, modifiant la structure du monde, préparent cette nouvelle conscience de soi caractéristique de l'homme moderne. Des continents, inconnus parce qu'oubliés, s'ouvrent aux érudits : l'Ancien Testament hébraïque, le Nouveau Testament grec se dégagent, dans leur fraîcheur, de la gangue dans laquelle les avaient enveloppés les sédimentations du latin d'église. L'accès direct aux textes sacrés dans leur langue originale ouvre les voies à une nouvelle compréhension de la révélation chrétienne. Cette redécouverte s'accompagne d'un effet de choc, appelé à retenir longuement à travers les consciences.

Mais, par un renversement inattendu, cette révolution qui retrouve dans l'Écriture sainte la Parole du Dieu vivant, se présente comme une révolution à double effet au niveau du langage. Le latin, qui perd le privilège de langue mère des textes sacrés, cesse d'être aussi la langue de leur communication et de leur enseignement. La révélation du retour aux sources pour les érudits doit se doubler, pour les simples fidèles, de cette autre révélation que constitue l'accès direct aux Écritures, traduites en langue vulgaire. La Réforme, pour les besoins de la vie spirituelle, entraîne la naissance de l'allemand et de l'anglais modernes, dont les premiers monuments sont la Bible de Luther et la Bible anglicane. Les fidèles, désormais, pourront prier Dieu et lire sa Parole chacun dans sa langue.

De ce fait, la déchéance du latin symbolise pour l'Occident la rupture de la chrétienté médiévale devant la poussée des nationalités modernes. Le morcellement spirituel atteste la désunion politique. Le rêve de la Romania, de l'œcuménisme catholique, aboutit au renouvellement du désastre de Babel. Les hommes se comprennent de moins en moins entre eux ; la théologie ne parle plus la langue d'un monde unitaire. Mais, par une rencontre extraordinaire, le moment même de cette faillite coïncide avec le surgissement d'un nouvel espoir. Un langage prend son essor, qui s'affirme capable de réconcilier les esprits dans l'universalité d'un œcuménisme authentique. Galilée, prophète génial d'une tradition qui s'ouvre, déclare : « Les mathématiques sont la langue dans laquelle est écrit l'univers. » La mathématique, en effet, transcende la confusion des langues et des nationalités. Elle substitue à la subtilité douteuse du jargon théologique de l'École, une parfaite rigueur, un enchaînement exemplaire des formules et des idées.

C'est une véritable conversion du savoir qui s'annonce ainsi dans l'avènement de cette philologie de la nature, rendue possible par le recours à la mathématique. La Nature parle un langage chiffré ; Dieu, disait déjà Platon, est le géomètre de l'éternité. Pour aller à lui, la voie la plus sûre est de déchiffrer l'ordre qu'il a mis dans la création. Le philosophe moderne est un géomètre et un technicien, tel Képler, Descartes ou Newton, mettant en lumière les lois rigoureuses qui énoncent le plan divin du monde. Le langage par excellence de toute vérité sera désormais celui du raisonnement mathématique. Descartes, en des formules célèbres, a vanté l'excellence de « ces longues chaînes de raisons, toutes simples et faciles, dont les géomètres ont coutume de se servir pour parvenir à leurs plus difficiles démonstrations » (*Discours de la méthode*, IIe Partie). Tel est désormais le modèle de toute pensée philosophique : Spinoza, composant un traité de métaphysique, le présente suivant l'ordre géométrique, comme un enchaînement de théorèmes qui se déduisent les uns des autres.

Il y a donc une langue de la raison. A l'autorité déchue de l'Église et de la tradition se substitue l'autorité nouvelle d'une conscience critique, élucidant chacun de ses mots pour progresser pas à pas dans la pleine lumière. Toute la tâche de la philosophie n'est que d'élaborer cette langue parfaite, dont chaque terme sera clair et distinct, et dont le mouvement même obéira à des principes intelligibles. Le sens de la réforme cartésienne consiste à mettre au point ce langage rigoureux, qui dotera la philosophie d'un instrument aussi sûr, dans l'ordre de la pensée, que la nouvelle mathématique dans l'ordre des figures et des nombres. Une curieuse lettre du jeune Descartes en fait foi. Le 20 novembre 1629, il répond à son correspondant Mersenne, qui lui avait communiqué un projet de langue universelle, — une sorte d'espéranto proposé par un lettré de l'époque. Le projet en question ne lui paraît pas valoir grand-chose ; il est l'œuvre d'un philologue, qui se contente de fabriquer et d'assembler des mots. La langue universelle authentique devrait être au contraire la langue même de la raison, exprimant non pas les choses, mais les idées vraies.

« L'invention de cette langue, poursuit Descartes, dépend de la vraie philosophie ; car il est impossible autrement de dénombrer toutes les pensées des hommes, et de les mettre par ordre, ni seulement de les distinguer en sorte qu'elles soient claires et simples, ce qui est à mon avis le plus grand secret qu'on puisse avoir pour acquérir la bonne science. » Toute l'entreprise du *Discours de la méthode* se trouve ici en germe ; et l'on aperçoit nettement qu'elle n'a d'autre ambition que de donner à la raison humaine le langage chiffré de la science. La langue universelle, poursuit Descartes, sera facile à apprendre. Elle aidera le jugement, « au lieu que tout au rebours, les mots que nous avons n'ont quasi que des significations confuses, auxquelles l'esprit des hommes s'étant accoutumé de longue main, cela est cause qu'il n'entend presque rien parfaitement. Or je tiens que cette langue est possible, et qu'on peut trouver la science de qui elle dépend, par le moyen de laquelle les paysans pourraient mieux juger de la vérité des choses que ne font maintenant les philosophes... ».

A la langue confuse et imaginative du sens commun, il faut donc substituer la langue rigoureuse du bon sens éclairé par l'évidence intuitive qui naît de la soumission à la raison. On peut dire que l'œuvre entière de Descartes sera la mise en œuvre de ce programme de jeunesse, effort gigantesque pour soumettre à l'unité et à l'universalité d'un même langage l'homme, le monde et Dieu, la métaphysique, la science et la technique. Sans doute l'entreprise ne devait pas complètement aboutir, car sa pleine réussite aurait signifié le dépassement de la condition humaine, une sorte de fin de l'histoire. L'homme, possesseur des maîtres mots de l'univers, prendrait ainsi la place de Dieu. Dès le temps de la lettre au P. Mersenne, le jeune Descartes semblait avoir conscience de cette impossibilité. La langue universelle est réalisable, déclarait-il « mais n'espérez pas de la voir jamais en usage ; cela suppose de grands changements en l'ordre des choses, et il faudrait que tout le monde ne fût qu'un paradis terrestre, ce qui n'est bon à proposer que dans le pays des romans ». Ainsi la plus haute réussite de la raison demeure une utopie. L'humanité se trouve sous le signe de Babel et Descartes lui-même, l'un des plus intrépides affirmateurs de la raison, ne croit pas à la réussite dernière de cette langue à l'édification de laquelle, pourtant, il consacre sa vie. La langue universelle serait en effet la perfection du savoir et l'humanité réconciliée dans la paix à jamais.

La lettre de Descartes n'en demeure pas moins comme la profession de foi de la pensée moderne. Document à tel point capital que Leibniz, autre génie qui devait rêver aussi de la langue universelle, l'a recopié de sa propre main pour le conserver dans ses papiers. La postérité de Descartes demeure fidèle à ce programme de la raison triomphante, mais elle se libère des présupposés métaphysiques auxquels la pensée du maître demeurait fidèle. Les *Règles pour la direction de l'esprit*, le *Discours de la méthode* accordent beaucoup à l'effort de l'homme dans la construction du savoir. Mais les éléments mêmes en sont empruntés à une réalité transcendante. Les natures simples de Descartes, les idées claires et distinctes, tout comme les idées platoniciennes ou les concepts d'Aristote, correspondent à des données ontologiques. La géométrie humaine est la répétition d'une géométrie divine ;

l'homme déchiffre le plan de Dieu. Sans doute le Dieu de Descartes, sans jamais heurter de front le Dieu de la Bible, ne paraît pas entretenir avec lui des rapports bien intimes, — pourtant le Dieu des philosophes et des savants apparaît encore comme l'arbitre des tentatives humaines dont il fixe par avance la limite.

Les continuateurs de Descartes délieront de plus en plus la parole humaine de toute fidélité à une parole de Dieu quelle qu'elle soit. Les mathématiques sont bien, comme disait Galilée, la langue dans laquelle est écrit l'univers, — mais cette langue, cette écriture, sont œuvres de l'homme, fruits d'une conquête. Déjà la sagesse d'un Descartes, qui se veut maître et possesseur de la nature, est sagesse d'ouvrier, de technicien, conscient d'une croissante liberté d'action. Il ne s'agit plus de deviner le plan de Dieu, ou de le lire par-dessus son épaule, mais de prendre l'initiative, d'ajouter à la nature. L'homme se fait créateur, à l'image de Dieu, — et au besoin sans lui. Cet humanisme témoigne d'un intérêt de plus en plus grand pour l'activité de l'esprit. A la raison ontologique de la philosophie traditionnelle se substitue une raison intellectualiste. Le jugement prend le pas sur le concept, sur l'idée, au long de ce chemin qui, à travers le XVIIIe siècle, mène de Descartes à Kant.

Le penseur du XVIIIe siècle, contemporain de la révolution industrielle, précurseur de la révolution politique de 1789, accorde de plus en plus à l'efficacité de l'homme. Science et technique enlèvent à Dieu la primauté en ce monde. L'*Encyclopédie* fait, à l'échelle humaine, l'inventaire du nouvel univers. La conception du langage exprime elle aussi cet infléchissement de la philosophie. Le siècle des systèmes donne à la pensée le pouvoir de porter l'univers. Mais la réforme doit être radicale. Il faut faire table rase de tous les malentendus accumulés par des âges dépourvus de lumière, en reprenant le projet même que Descartes exposait dans sa lettre à Mersenne. « Les mots que nous avons n'ont quasi que des significations confuses... » ; tout le mal vient de là, répéteront, après Descartes, Locke, Berkeley, Condillac. Chacun à sa manière dénoncera dans les doctrines traditionnelles de la métaphysique, des maladies du langage établi. Le jeune Descartes reculait devant l'entreprise, qui lui paraissait une utopie. Ses successeurs seront plus intrépides : le pouvoir que les théologiens reconnaissaient à Dieu de dénommer la réalité en la créant, ce pouvoir appartient désormais au philosophe, qui en dressant un inventaire rigoureux des pensées, sans préjugé théologique, devient le véritable auteur du monde de la raison. La Révolution au niveau du langage commence donc par une nuit du 4 Août, où sont abolis tous les privilèges traditionnels ; elle aboutit à une nouvelle constitution, qui maintient sous l'autorité de la raison souveraine le libre jeu des mots, citoyens de l'univers du discours, dont les significations ont été au préalable soigneusement vérifiées. De même que, pour les révolutionnaires de 1789, une bonne structure politique doit assurer le bonheur de l'humanité, de même les idéologues, révolutionnaires de la philosophie, pensent, avec Condillac, qu'une « langue bien faite » résoudra à jamais tous les problèmes.

La Révolution politique se solde par un échec. Elle déclarait la paix au monde, et elle a fait la guerre au monde. Elle promettait la concorde civique ; elle a abouti à la Terreur. Le XIXe siècle, après le raz de marée napoléonien, est un siècle de réaction, de retour aux valeurs traditionnelles. La linguistique reflète à sa manière ce désastre de tous les optimismes. Condillac meurt sans avoir pu élaborer cette *Langue des calculs* qui devait mettre un terme à la philosophie par une élucidation systématique. Par un curieux démenti de l'histoire, une science du langage commence dès lors à se constituer, — mais cette science, à l'opposé de toute analogie et de tout formalisme mathématique, est une science de l'homme. Au XVIIIe siècle, siècle des philosophes, le XIXe s'oppose comme le siècle des philologues. Une langue ne se réduit pas à un système artificiel, à un chiffre de la raison. Elle apparaît, à l'âge romantique, comme l'incarnation, au niveau de la parole, du génie d'un peuple. Le langage établi, dont Descartes et ses successeurs dénonçaient la confusion, représente en réalité une sorte d'examen de conscience de la communauté, un horizon culturel dont chaque pensée personnelle subit l'influence. Une nouvelle ontologie s'esquisse ici, à la suite des travaux de Humboldt, de Jacob Grimm et de savants allemands dont Renan sera en France le porte-parole, — ontologie fondée non plus sur la raison divine ou sur l'activité de l'esprit, mais sur les valeurs nationales. Une langue constitue un tout organique se développant dans l'histoire comme un être vivant. Elle réalise à chaque époque une sorte d'inconscient collectif, dont s'alimente la parole enchantée des poètes, mais aussi le récit naïf des conteurs et la sagesse populaire.

L'âge romantique élabore ainsi une mythologie du langage, redécouvrant que le mot grec *muthos* signifie justement *parole*. Les travaux des comparatistes, les découvertes de l'étymologie, l'identification d'une famille linguistique indo-européenne, serviront de fantaisiste prétexte aux hypothèses des théoriciens les plus exaltés du nationalisme, dont la revendication étouffe le rêve d'œcuménisme rationnel de l'âge des lumières. L'homme n'est plus que le serviteur des représentations collectives dont la langue affirme la pérennité. Il y a malheureusement un lien entre la philologie allemande du XIXe siècle et le mythe du XXe siècle, selon les doctrinaires national-socialistes ; ils invoquaient le génie de la race, retrouvé dans le langage et les institutions archaïques, pour justifier les aspects les plus monstrueux d'un régime qui, un moment, a tenu l'Europe à sa merci.

L'échec du nazisme est donc, en un certain sens, l'échec d'une philosophie du langage. Malheureusement notre époque ne semble guère capable de mettre au point la langue unitaire qui servirait de commune mesure, dans la bonne volonté, entre les peuples du monde, rendus de plus en plus solidaires par le développement même de la civilisation. L'Organisation des Nations Unies se heurte aux mêmes difficultés que naguère la Société des Nations. La discordance des idiomes, la discordance des valeurs perpétuent sur l'humanité la malédiction de Babel...

Le sens de la parole humaine demeure donc irrésolu. Toutes les métaphysiques proposées au long des siècles semblent se solder par un échec. Le langage humain n'est pas la parole du Dieu créateur, et ne peut prétendre répéter cette parole. Mais il n'est pas non plus l'œuvre artificielle d'un intellect libre d'élaborer un langage chiffré selon les normes de la seule intelligibilité rationnelle. Les réussites de la science ne doivent pas faire illusion à cet égard, car elles se limitent à des domaines restreints où règne une objectivité inhumaine. Enfin la parole de l'homme n'est pas asservie à un système de représentations communautaires qui l'enfermeraient dans le camp de concentration de l'inconscient collectif. La parole ne nous maintient pas dans la captivité de l'être, elle ne nous laisse pas toute licence. La parole n'est ni l'être ni l'absence de l'être, mais un engagement de la personne parmi les choses et les personnes. Autrement dit, la réflexion sur le langage ne doit pas s'instituer à partir de Dieu, de la raison ou de la société, — mais à partir de la réalité humaine, qui trouve dans la parole un mode d'affirmation de soi et d'établissement dans le monde. Le problème n'est pas problème du langage en soi, mais problème de l'homme parlant.

LA PAROLE COMME RÉALITÉ HUMAINE

Ainsi le langage ne constitue pas une réalité exemplaire, détachée de l'homme parlant, Verbe divin, système clos et parfait, automate spirituel disciplinant les vies personnelles par sa vertu ontologique. La parole de l'homme ne se contente pas de répéter une réalité antécédente, ce qui lui enlèverait toute efficacité intrinsèque. Toute philosophie pour laquelle l'homme n'est pas l'unité de compte dédouble la parole en un langage créateur transcendant et un langage humain créature, privé de toute initiative et de toute actualité. Mais l'addition même de ces deux langages n'équivaut pas à la parole humaine.

Nous devons désormais considérer la parole non comme un système objectif, en troisième personne, mais comme une entreprise individuelle : *prendre la parole* est une des tâches maîtresses de l'homme. La formule doit ici être retrouvée à la lettre ; le langage n'existe pas avant l'initiative personnelle qui le met en mouvement. La langue établie propose seulement un cadre au déploiement de l'activité verbale. Les mots et leurs sens formulent des possibilités jamais achevées, toujours mouvantes, offertes à l'homme qui parle. Le langage de la personne en son actualité n'est pas asservi au dictionnaire, mais c'est bien plutôt le dictionnaire qui se donne pour tâche de suivre à la trace la parole en exercice, et de cataloguer ses significations.

Une langue vivante apparaît ainsi comme la langue d'hommes vivants. Au sein même de la communauté, le vocabulaire de chaque individu se renouvelle avec le temps ; il y a une histoire de la langue propre à chaque grand écrivain, — mais aussi bien, et plus humblement, on pourrait relever les variations du parler de chaque homme dans le développement de son existence. Aussi bien, les modifications ne portent-elles pas sur le vocabulaire seulement ; car une langue n'est pas une collection de mots. Les linguistes ont montré que l'unité de compte du parler vivant ne se présente pas sous forme de noms, verbes ou adjectifs, isolés les uns des autres, comme des grains dans un sac. L'élément de parole est un tout complexe, animé par une intention de signification : c'est l'*image verbale* qui s'exprime en phrases plus ou moins complexes, parfois réduites à un seul mot, mais répondant toujours à la manifestation d'un sens. Dans la vie de l'esprit, il ne faut pas considérer que la phrase est faite avec des mots, il est beaucoup plus vrai de dire que les mots se constituent comme le dépôt sédimentaire des phrases où se manifestent les volontés d'expression.

Rien ne peut mieux mettre en lumière le fait que la parole humaine est toujours un acte. Le langage authentique intervient dans une situation donnée, comme un moment de cette situation, ou comme une réaction à cette situation. Il a pour fonction de maintenir ou de rétablir l'équilibre, d'assurer l'insertion de la personne dans le monde, de réaliser la communication. Or les situations se renouvellent sans cesse au cours d'une histoire personnelle, sans jamais se reproduire exactement, — de telle sorte que le sens d'un mot, bien loin d'être fixé une fois pour toutes, est original en chacune de ses réincarnations. Le dictionnaire ne présente qu'un répertoire de valeurs moyennes et comme statistiques. « Le mot, disait Henri Delacroix, est créé chaque fois qu'il est émis » (Société française de Philosophie, 14 décembre 1922).

Nous retrouvons ainsi le caractère créateur de la parole en acte, reconnu à leur manière par les primitifs et les théologiens, qui faisaient du Verbe un attribut de la divinité. Le langage manifeste la transcendance de la réalité humaine, seule capable de constituer le monde. Avant la parole, le monde n'est que le contexte actuel, toujours évanouissant, des comportements humains, sans même que soient bien délimités les confins de la personnalité et de l'ambiance. Le langage apporte dénomination, précision, décision ; à la fois conscience et connaissance. Le nom crée l'objet ; seul il l'atteint par delà l'inconsistance des apparences. Mais il crée aussi bien l'existence personnelle. Aux objets dans le monde correspondent des états de l'esprit, dont la seule désignation apporte la résolution des ambiguïtés internes. Se dire : « je suis malade », ou « je suis amoureux », « je suis timide », ou « je suis avare », c'est trouver le mot de l'énigme, donner un mot à l'énigme des incertitudes personnelles, et par là déjà dépasser l'incertitude. L'opération du langage nous crée, par delà le présent, une nature persistante, apte à expliquer le passé, à engager l'avenir.

La parole constitue l'essence du monde et l'essence de l'homme. Chaque phrase nous oriente dans un monde qui d'ailleurs n'est pas donné tel quel, une fois pour toutes, mais apparaît lui-même construit *mot à mot*, l'expression la plus insignifiante apportant sa contribution à l'œuvre de réfection permanente. De même que chaque mot gagné par le petit enfant agrandit son univers, de même l'usage de la parole chez l'adulte ne cesse de fournir une contribution à l'existence. Les théories traditionnelles avaient le tort de voir dans le langage une sorte de double mental du monde, — comme si l'univers du discours pouvait exister en dehors de l'univers des choses, comme si les mots n'étaient pas tout ce que nous pouvons saisir du monde, sa réalité intrinsèque et la chair de sa chair. Le monde s'offre à chacun de nous comme un ensemble de significations dont nous n'obtenons le révélation qu'au niveau de la parole. Le langage, c'est le réel. Comme le dit avec pittoresque M. Sartre « du dedans, l'homme coule comme un fromage ; il n'est pas... ». Pour arrêter cette « hémorragie monotone », l'homme doit accepter de se déterminer, de se définir, c'est-à-dire d'assumer un certain nombre d'appellations, qui lui donnent sa nationalité, sa profession, son rang social, bref sa « situation » dans le monde des mots qui est le monde des valeurs et des êtres, — faute de quoi il ne reste plus de lui « qu'un peu d'eau sale qui s'écoule en tourbillonnant par un trou de vidange » (*Situations*, I, N. R. F., 1947, p. 218).

Nommer, c'est appeler à l'existence, tirer du néant. Ce qui n'est pas nommé ne peut exister de quelque manière que ce soit. Même le Dieu de l'Ancien Testament, qui refuse de décliner son identité, doit accepter de figurer dans l'univers de la parole humaine sous le mot « Yaweh ». Nietzsche disait très justement que les hommes de génie sont d'ordinaire des « nommeurs ». Le génie consiste à « voir quelque chose qui ne porte pas encore de nom quoique tout le monde l'ait sous les yeux » (*Gai savoir*, § 261). Newton crée l'attraction universelle, Bergson l'intuition, Kant crée la conscience transcendantale comme

Einstein la relativité, comme les physiciens modernes ont créé l'électricité...

La dénomination affirme un droit à l'existence. Ce sont les mots qui font les choses et les êtres, qui définissent les rapports selon lesquels se constitue l'ordre du monde. Se situer dans le monde, pour chacun d'entre nous, c'est être en paix avec le réseau des mots qui mettent chaque chose à sa place dans l'environnement. Notre *espace vital* est un espace de paroles, un territoire pacifié où chaque nom est solution d'un problème. Les rapports humains eux-mêmes apparaissent comme un vaste système de mots qu'on donne et qu'on reçoit, selon les rythmes prévus par les hiérarchies et les politesses. L'ordre social est défini par un code des dénominations correctes, où tout désaccord, tout écart apparaît aussitôt comme un signe de déséquilibre. Si ma femme, mes enfants, mes amis, mes élèves, mes supérieurs, mes inférieurs ne me donnent plus les appellations que je suis en droit d'attendre de chacun d'eux, une inquiétude se lève : la révolution menace, — ou l'aliénation mentale. L'inquiétude sur le langage est toujours contemporaine d'un désétablissement de l'homme, d'une rupture avec le monde, qui exige un retour à l'ordre, ou l'établissement d'un ordre nouveau. Mettre de l'ordre dans les mots, c'est mettre de l'ordre entre les pensées, mettre de l'ordre entre les hommes. Chacun d'entre nous pour sa part, en tant que membre d'une famille, adhérent d'un parti, élément d'un corps professionnel, citoyen d'une nation et de la communauté internationale, se trouve engagé dans cette tâche d'assurer la correction des dénominations, dont les Empereurs de Chine avaient déjà pris une si nette conscience.

Pour chacun de nous, le langage est contemporain de

la création du monde, — il est l'ouvrier de cette création. C'est par la parole que l'homme vient au monde, et que le monde vient à la pensée. La parole manifeste l'être du monde, l'être de l'homme et l'être de la pensée. Toute parole, même négative ou de mauvaise foi, atteste les horizons de la pensée et du monde. Création du monde, création de l'homme, vocation à l'humanité. Le langage met les choses en perspective selon leur signification. C'est pourquoi il nous présente non pas une physique, — mais plus exactement une *méta-physique* de la réalité ; il suppose toujours, par delà sa teneur apparente et matérielle, une mise en place en fonction de la réalité humaine totale. L'intuition de valeur oriente et justifie l'affirmation d'existence par l'invocation d'une surréalité génératrice de toute ontologie. Le langage se donne à nous comme la monnaie de l'être inaccessible, — gagée par les choses, gagée par l'homme, gagée par Dieu, signe de la rencontre et de la réciproque fidélité du réel et du vrai dans la conscience de l'homme.

Malheureusement cette apothéose du langage entraîne aussitôt sa mise en question. Si les mots commandent l'accès à l'être, s'il est vrai qu'en deçà et au delà des mots, il n'y a rien, — comment se fait-il que la parole apparaisse souvent suspecte et dévaluée ? Monnaie de l'être, en principe, — mais trop souvent fausse monnaie. L'idée d'une ontologie du langage se heurte donc immédiatement à l'objection du *mensonge*, objection dont il est évident qu'elle n'a de sens que si la parole est par destination messagère de vérité. En fait, la vie spirituelle commence d'ordinaire non pas avec l'acquisition du langage, mais avec la révolte contre le langage une fois acquis. L'enfant découvre le monde à travers le langage régnant que lui dicte l'entourage. L'adolescent découvre les valeurs dans la *révolte* contre le langage auquel il s'était jusque-là confié aveuglément, et qui lui paraît, dans la lumière de la crise, dépourvu de toute authenticité. Tout homme digne de ce nom a connu cette crise dans l'appréciation du langage qui fait passer de la confiance naïve à la récrimination. « Liberté, s'écrie la révolutionnaire déçue, liberté que de crimes on commet en ton nom », « Nature, affirme le romantique repenti, avec ce mot on a tout perdu ». « Vertu, tu n'es qu'un nom », proclame Brutus vaincu avant de se tuer. Hamlet, le héros de la lucidité désespérée, donne la formule dernière de tous ces désenchantements : « Words ! words ! words ! », — des mots, des mots, des mots...

La révolte radicale d'Hamlet le conduit nécessairement à la mort. Renier le langage, c'est avoir perdu le sens du réel. Le prince de Danemark, au moment d'expirer, dira seulement : « le reste est silence », dernière parole significative de ce renoncement à l'univers du discours qui équivaut à un renoncement à l'être. La récrimination peut d'ailleurs s'avérer moins complète ; elle se présente le plus souvent comme un moment dans la réalisation d'un nouvel être dans le monde. Moment de la critique et du retour à soi, moment d'un nouveau départ de la pensée et de l'action : c'est le moment de Socrate, questionneur ironique, réclamant de sa victime le sens de tel ou tel mot banal. L'interlocuteur, sans voir le piège tendu par le sphinx jovial, répond en donnant la définition reçue, mais Socrate n'a pas de peine à faire apparaître l'insuffisance de la notion qu'on lui propose. Il met sa victime en contradiction avec elle-même et, par une savante ascèse polémique, se propose de la mener de la discordance à la réconciliation, des illusions du sens commun à la rectitude du bon sens.

La parabole socratique permet de donner son exacte valeur au procès du langage. La parole établie consacre un sens convenu qui, dans le premier mouvement, emporte notre adhésion sans critique. Le mot du langage courant est ainsi la chose de tous et de personne, dépouillé de toute actualité, c'est-à-dire de toute valeur. Le mot, nous l'avons vu, a pris son origine dans l'engagement mutuel de l'homme et du monde ; mais il tend à s'émanciper de son contexte d'expérience immédiate. Alors qu'il était le *sens* de la situation, il vaut indépendamment de la situation, et comme une promesse de la situation, même si celle-ci n'est pas donnée, rendant possible une grosse économie d'action. Du même coup, la parole, qui était la réalité humaine, masque l'absence de cette réalité ; elle est une réalité par défaut. Il n'y a de vérité qu'au niveau de la parole, mais le mensonge est contemporain de la vérité et bon nombre des mots que nous prononçons dans le courant des jours sont des mots mensongers, attestations d'une sympathie, d'une cordialité, d'un intérêt que nous n'éprouvons pas, — ainsi que le met sans peine en lumière la récrimination du misanthrope.

Témoin de l'authenticité de l'être, le langage en est donc aussi la contrefaçon. Le sens commun émousse le sens propre des mots. Les mots de chacun ne deviennent les mots de tous qu'en perdant leur intention, en se dégradant progressivement, comme se ternit une monnaie neuve et brillante une fois mise en circulation. Au lieu de coïncider avec la valeur, le mot n'en est plus que l'étiquette. Il évite le détour d'une manifestation plus directe ; *sunt verba et voces*, disait le poète latin, *praetereaque nihil*, des mots et des formules, et rien d'autre. Ainsi devient possible la sédimentation de l'être en avoir, cette déchéance qui vide la parole de sa substance et de son efficacité, justifiant par là toutes les révoltes. Car celui qui prend le langage pour argent comptant, aiguillé par les paroles vers des valeurs inexistantes, sera la dupe de qui le manœuvre et sa bonne foi surprise ne verra plus désormais partout que mauvaise foi.

Davantage encore, l'usurpation du langage ne tient pas seulement à la dégradation sociale des mots, ou aux abus de confiance de nos interlocuteurs. Plus profondément, le langage se glisse entre chaque homme et lui-même comme un écran qui le défigure à ses propres yeux. L'être intime de l'homme est en fait confus, indistinct et multiple. Le langage intervient comme une puissance destinée à nous exproprier de nous-même, pour nous aligner sur l'entourage, pour nous modeler selon la commune mesure de tous : il nous définit et nous achève, nous termine et nous détermine. La direction de conscience qu'il exerce fait de lui le complice de l'avoir, en sa pauvreté monolithique, contre la pluralité de l'être. Dans la mesure même où nous sommes forcés de recourir au langage, nous renonçons à notre vie intérieure car le langage impose la discipline de l'extériorité. L'usage de la parole est donc une des causes essentielles du malheur de la conscience, et d'autant plus essentielle que nous ne pouvons nous en passer. C'est ce qu'a fortement souligné Brice Parain : « A chaque instant, chaque conscience détruit un peu du vocabulaire qu'elle a reçu et contre lequel elle ne peut pas ne pas se révolter, parce qu'il n'est pas le sien ; mais aussitôt elle en recrée un autre, dans lequel elle disparaît à nouveau. » C'est pourquoi la condition humaine apparaît à l'écrivain une « condition de révolte et de suicide généralisés » (Le langage et l'existence, dans le recueil : *L'existence*, N. R. F., 1945, p. 165).

La vivacité de cette réaction révèle une belle âme, non

exempte pourtant d'une certaine naïveté. Il est vrai que le langage suppose un certain nombre de valeurs sédimentées dans la culture ambiante, et qui demeurent à l'état fossile aussi longtemps qu'elles restent de pures données extérieures. Seulement la valeur authentique n'est pas une chose : la spiritualité coagulée dans le sens commun ne possède aucun droit réel à imposer une direction de conscience. Toute affirmation de valeur implique une initiative personnelle, et comme une reprise des éléments du langage par une conscience qui les redécouvre et seule peut attester leur authenticité. Qui est dupe ici est d'abord dupe de soi : il n'a pas atteint sa majorité spirituelle. La crise est un signe de la promotion virile ; elle se trouve résolue lorsque la personne parvient à trouver en soi un fondement plus solide que le sable mouvant du langage commun.

Récriminer contre le langage, c'est donc être dupe du langage, lui reconnaître abusivement une portée qu'il ne possède pas. Et cette insurrection même n'est peut-être pas exempte de mauvaise foi. Accuser le langage, c'est d'ordinaire protester contre autrui ; accuser les autres considérés comme responsables de cette perversion établie. Or la faute est toujours partagée : l'homme qui récrimine n'est pas pur pour autant. Ce ne sont pas les autres seulement qui *manquent de parole*, mais celui d'abord qui est entré avec les autres dans une communauté fondée sur un malentendu, œuvre collective de tous ceux qui y participent. Plutôt donc que de faire le procès des autres et des mots, il convient de passer de la révolte à la conversion, c'est-à-dire à l'affirmation décidément positive de soi-même.

Autrement dit, le langage ne saurait justifier qui que ce soit. Il appartient à chacun d'assumer pour son compte son langage, par la recherche du *mot propre*. A l'ontologie objective ou sociologique de la parole doit se substituer une ontologie personnelle. Le discours n'est qu'une attestation de l'être dont il appartient à chacun de faire qu'elle soit authentique. Les mots ne mentent pas, mais l'homme. Je ne tire pas, avec des paroles, des traites sur l'être, mais sur moi-même seulement, et sur ma propre fidélité. La conception infantile d'une efficacité magique de la parole en soi fait place à cette pensée plus difficile que le langage est pour l'homme un moyen privilégié de se frayer un chemin à travers les obstacles matériels et moraux pour accéder à l'être, c'est-à-dire aux valeurs décisives dignes d'orienter sa destinée.

La parole de l'homme n'est donc pas soumise à une prédestination qui l'aliénerait par avance au profit d'une finalité transcendante, Verbe divin ou conscience collective. La seule finalité est finalité immanente, nécessité d'assurer dans le comportement total de l'homme la coïncidence de l'être et du faire. La langue morte invoque des valeurs absentes, mortes depuis longtemps, la parole vivante accuse l'exigence de la vie spirituelle en travail, — non point système clos, une fois pour toutes achevé, mais effort de constante régénération. Pour un peuple entier comme pour un écrivain, une langue fixée est signe de dépérissement. Pareillement, il n'existe pas de *dernier mot* dans l'affirmation personnelle avant le dernier moment de l'existence elle-même. Dans cette poursuite de l'être se manifeste l'essence du langage, ainsi étroitement liée à l'essence même de l'homme, qu'elle a pour tâche de manifester au monde, — tâche irréalisable en rigueur, et pourtant nécessaire. Le sens dernier de la parole est d'ordre moral. Seule une éthique peut faire l'unité des diverses manières d'approcher l'exercice de parler. La parole en sa réalité plénière manifeste le pouvoir surnaturel de l'homme, qui, en allant au monde, donne un sens à soi-même et au monde. Œuvre maîtresse en laquelle chaque personnalité manifeste ce dont elle est capable, sa vertu créatrice ou son impuissance à passer de la confusion mentale à la réalité humaine, du désordre des impressions, des choses et des valeurs à l'unité originale d'une affirmation virile.

LA PAROLE COMME RENCONTRE

L'homme appelle le monde à l'existence, — et l'on pourrait ajouter, peut-être, que le monde appelle l'homme, qu'il attend la révélation de l'homme pour se manifester pleinement. Mais la réciprocité de l'homme et du monde ne constitue pas à elle seule la situation originaire d'où procède le langage. L'homme parle le monde, mais il ne parle pas *au* monde, ou s'il lui arrive de s'adresser au monde, c'est que le monde a revêtu pour lui la nouvelle figure d'un *alter ego* ; il a été personnifié pour devenir l'autre, le répondant du dialogue, la Nature, par exemple, invoquée par le poète.

Ainsi la compréhension du langage ne doit pas se limiter aux deux termes opposés, le Moi et le Monde. Un troisième terme s'avère nécessaire c'est l'*autre*, auquel ma parole s'adresse. Je parle parce que je ne suis pas seul. Même dans le soliloque, dans la parole intérieure, je me réfère à moi comme autre, j'en appelle de ma conscience à ma conscience. Le langage, dès sa forme la plus rudimentaire, atteste une procession de l'être personnel hors de lui-même. Le très petit enfant lorsqu'il sourit et, assez vite, lorsqu'il pleure, fait appel à l'entourage dont il attend une réponse. L'être humain ne se contient pas en lui-même : les contours de son corps figurent une ligne de démarcation, mais jamais une limite absolue. L'existence d'autrui n'apparaît pas comme le résultat tardif de l'expérience et du raisonnement. Intellectuellement et matériellement, l'autre est pour chacun condition d'existence. La multiplicité des individus, la décentration de l'être apparaissent ainsi comme des données originaires de la conscience vécue. Le primitif, au premier stade de l'évolution humaine, ne se connaît pas comme une personne autonome ; il se saisit en participation, engagé dans les grands rythmes vitaux de la tribu, — non pas un contre tous, mais un avec tous.

Par essence, le langage n'est pas d'un mais de plusieurs ; il est *entre*. Il manifeste l'être relationnel de l'homme. Les organes sensori-moteurs anticipent le schéma d'un univers sur lequel s'appuiera tout le comportement, de même que la réalité psychobiologique signifie par avance une destination communautaire. Dans son élaboration progressive, le langage, à partir de ce point de départ, consolide et multiplie la communication. Il fait de la communication un monde nouveau, qui est le monde véritable.

Ainsi s'établit une situation nouvelle : l'initiative créatrice du moi qui prend possession de l'univers va se trouver elle-même en question. Le moi n'a pas à se frayer, dans l'absolu, un chemin jusqu'à l'être, — car le moi n'existe que dans la réciprocité avec l'autre ; le moi isolé n'est à vrai dire qu'une abstraction. Autrement dit, aucun homme n'a jamais inventé le langage, et c'est sans doute pour l'avoir obscurément senti que la sagesse millénaire réservait à Dieu le privilège de cette création. Tout langage est d'abord reçu ; le petit enfant le reçoit tout fait du milieu, comme il en reçoit sa nourriture. Si haut que nous remontions dans l'histoire, l'origine radicale se dérobe. Les mots sont là avant même l'émergence de la conscience personnelle, à laquelle ils proposent ou imposent des sens cristallisés. C'est à travers les mots que le sens sera cherché, par la médiation des mots, comme d'un matériel dont il faudra apprendre à se servir.

Avant la parole il y a toujours eu une langue, avant le langage-sujet un langage-objet, réalité en soi, constituée par les autres et dont les autres imposent à l'enfant l'apprentissage. Le langage est ici un monde, ou plutôt il est le monde qu'il faut découvrir mot à mot, en passant du babillage, ce « griffonnage verbal », comme disait Henri Delacroix, à la parole articulée. De la confusion mentale primitive se dégageront peu à peu les objets et les valeurs, désignés par l'autorité des grandes personnes. Sa propre existence sera d'ailleurs enseignée à l'enfant par cette voie indirecte : il mettra longtemps à se situer comme objet dans un monde d'objets et c'est sur le modèle de l'autre qu'il prendra conscience de sa réalité personnelle. Il parle de lui à la troisième personne avant d'accéder à la première.

Dès le point de départ, le langage jalonne la ligne de rencontre entre le moi et autrui, et pendant longtemps il consacrera la dépendance de moi à l'égard d'autrui, puisque, avant de prendre la parole, il faut l'avoir reçue toute faite. La lutte d'influence ne cessera d'ailleurs jamais entre le sens commun et l'initiative personnelle. Elle définit le cadre d'exercice de la parole humaine. Si je parle c'est moins pour moi que pour l'autre ; je parle pour m'adresser à l'autre, pour me faire comprendre. La parole est ici comme le *trait d'union*. Mais pour que l'autre me comprenne, il faut que mon langage soit le sien, — qu'il donne à l'autre préséance sur moi, d'autant plus intelligible qu'il est davantage dénominateur commun. Les autres m'ont appris à parler, m'ont donné la parole, mais, ce faisant, ils ont peut-être étouffé en moi une voix originale, et faible et lente à se libérer. Dire que le langage, c'est l'autre, revient à affirmer que nous sommes dès l'enfance réduits en captivité par notre soumission forcée aux formules toutes faites du langage établi. Par une sorte de retournement paradoxal, l'individu se trouve frustré du bénéfice de cette invention magnifique de la parole, dont nous avons vu qu'elle consacrait la souveraineté de l'espèce humaine. Invention de tous, semble-t-il, mais de personne en propre, — invention qui se traduirait pour chacun de nous par une mise au pas, par un alignement forcé sur autrui, c'est-à-dire par une définitive aliénation.

Ainsi se formule une antinomie fondamentale de la parole humaine, affirmation du sujet en même temps que recherche d'autrui. D'une part la fonction expressive du langage : je parle pour me faire entendre, pour déboucher dans le réel, pour m'ajouter à la nature. D'autre part la fonction communicative : je parle pour aller aux autres, et je me joindrai à eux d'autant plus complètement que je laisserai davantage de côté ce qui est de moi seul. La double polarité de l'expression et de la communication correspond à l'opposition entre la première personne et la troisième, entre la subjectivité individuelle et l'objectivité du sens commun. Cette dualité semble déchirer l'usage de la parole humaine, et consacrer son insuffisance, puisqu'elle ne pourra jamais mener à bien simultanément sa vocation centripète et sa vocation centrifuge, — dire tout à tous.

Beaucoup de penseurs ont pris leur parti de ce déchirement, et admis d'une manière plus ou moins nette que l'expression et la communication varient en fonction inverse. Si je veux être compris de tous, je dois employer le langage de tout le monde, et donc renoncer à ce qui, en moi, me fait différent de tout le monde. Tel est le sens de l'entreprise du français *basique*, langage de quelques centaines de mots, constitué par des recherches statistiques, et qui doit permettre très rapidement à n'importe quel étranger de se faire comprendre de n'importe quel Français. Le langage le plus commun représente un mot de passe universel. Aussi bien l'écrivain le plus hermétique renonce à ses raffinements de vocabulaire et de style lorsqu'il s'adresse à l'épicier du coin ou au contrôleur d'autobus. Lorsque Mallarmé inscrivait sur des enveloppes, en guise d'adresse, des quatrains précieux, il spéculait sur une particulière bonne volonté des employés des P. T. T. pour déchiffrer ses rébus poétiques. Mais si tous les usagers de la poste en avaient fait autant, il est probable que ce service public se serait trouvé très rapidement dans l'incapacité de fonctionner. A la limite, si j'use d'un langage entièrement personnel, fabriqué par moi de toutes pièces, — comme Panurge dans 3 des 14 langues qu'il emploie successivement lors de sa première rencontre avec Pantagruel, — il est clair que j'arriverai peut-être ainsi à énoncer des formules d'une originalité radicale, mais que personne ne me comprendra. Tel est le cas de certains malades mentaux dont les paroles, étrangères à la monnaie courante du langage, ne peuvent avoir de sens que pour celui qui les énonce. De même, le brahmane hindou, lorsqu'il prononce la syllabe mystique *Om*, en laquelle se résume pour lui la présence même de l'être, dit tout, mais ne dit rien.

Il semble donc que l'usage de la parole nous oblige à choisir entre deux formes opposées d'aliénation : ou bien, comme le fou ou le mystique, parler comme personne ; ou bien, comme l'adepte de la langue basique, parler comme tout le monde. Dans les deux cas, le sens même de la personnalité s'abolit. Plus je communique et moins je m'exprime, — plus je m'exprime et moins je communique. Il faut choisir entre l'incompréhensibilité et l'inauthenticité, — entre l'excommunication, ou le reniement de soi.

Le dilemme n'est pas arbitraire. Des philosophes éminents se sont prononcés dans un sens ou dans l'autre. La pensée d'un Bergson, par exemple, oppose, comme on sait, le moi superficiel, contaminé par le langage, qui le fait chose parmi les choses, et le moi profond, incantation indicible, authenticité d'une pensée rebelle à toute formule, effusion mystique, poésie pure. La communication tue l'expression. Le salut consiste en une sorte de reconversion ; il faut abjurer le langage, se déshabituer de l'existence géométrisée par le sens commun, pour coïncider avec le sens en nous de l'inspiration vitale : telle est la fidélité essentielle du héros et du saint. A l'opposé de l'intuition bergsonienne, fondée sur la condamnation du langage établi, Durkheim affirme l'autorité du sens commun, tel que le formalisent les représentations collectives. Durkheim retrouve l'affirmation d'Auguste Comte selon laquelle il n'existe pas de réalité psychologique autonome. L'homme est un être biologique qui reçoit de la société toute son éducation. L'individu n'est qu'une abstraction, dépourvue de toute existence positive. La communauté nous fait être : elle nous donne avec le langage et dans le langage les concepts comme les règles morales. Le devoir est donc de se soumettre sans arrière-pensée, d'adhérer étroitement à cette direction sociale de la conscience individuelle. Le retour à soi-même, l'intention expressive, apparaissent comme une tentation à bannir, sur le chemin de la faute et du crime.

L'opposition de Bergson et de Durkheim se retrouve d'ailleurs chez d'autres penseurs. Charles Blondel, élève de ces deux maîtres, s'efforçait de concilier les deux doctrines en identifiant le moi pur de Bergson à la personnalité morbide du schizophrène, dont l'aliénation consiste justement dans la rupture du pacte social du langage. La parole nous dépersonnalise, ou plutôt nous impersonnalise, mais c'est pour notre bien. D'autre part, les philosophes intellectualistes, Brunschvicg et Alain par exemple, voyaient aussi dans le langage l'instrument salutaire de la prépondérance de l'extériorité sur l'intériorité, grâce à l'intervention providentielle de la Raison, et non plus de la Société. L'homme en proie à lui-même, et qui voudrait exprimer les vicissitudes de son être intime, un Maine de Biran, un Amiel, un Montaigne même, finit par se régler sur les rythmes de sa cénesthésie, et sa cantilène ne signifie plus autre chose que l'état de ses viscères. La virilité ne se trouve pas dans ce monologue des humeurs ; elle demande que la personne abandonne toute complaisance à elle-même pour se mettre à l'œuvre, pour apporter sa contribution à l'édifice commun d'une sagesse objective, dont le modèle nous est offert par la rationalité et l'universalité de la science. Le langage apparaît ici comme une première raison. Il apporte avec lui une direction de conscience qui nous met à la raison, si nous savons lui obéir, c'est-à-dire développer l'invitation qu'il nous apporte à sortir de la confusion et de la dissipation intime pour faire œuvre selon les normes intelligibles.

Ces diverses doctrines vident dans le champ clos du langage une querelle qui met en jeu toute la destinée de l'homme. Il faut, d'après elles, choisir entre l'intériorité et l'extériorité, entre l'expression et la communication.

C'est cette obligation de choisir, de trancher dans le vif, qui semble précisément un principe d'erreur, dans la mesure où elle entraîne les penseurs à méconnaître la spécificité de l'humain. L'individu se trouve partagé, réparti entre diverses rubriques : le moi biologique de l'élan vital, le moi social, le moi rationnel. Nous sommes invités à nous prononcer pour l'une de ces composantes à l'exclusion des autres, il ne doit pas y avoir de passage de l'infrastructure à la superstructure, quel que soit le niveau où l'on a situé la valeur. De telle sorte que, malgré toutes les censures, l'élément oublié fait toujours sentir son influence, comme la mauvaise conscience du vital chez l'intellectuel, de l'intellectuel chez le vitaliste, de l'individuel chez le sociologue. En principe néanmoins, l'unité humaine est donnée d'avance : l'homme, c'est la conscience collective, ou la raison, ou le moi pur qui refuse la société et la raison.

Or, en fait, chaque homme est tout cela ensemble. La personne concrète réalise pour son compte l'équilibre entre les diverses influences, et la parole donne la formule de cet équilibre en voie de réalisation, à la fois expression du moi pur, et participation au social et au rationnel. De ce point de vue l'opposition établie entre le moi et l'autre apparaît tout à fait insuffisante. Elle répète d'ailleurs le lieu commun individualiste de la réclamation contre la tyrannie de la masse. Les autres m'empêchent d'être moi, ils font obstacle à la pleine réalisation de ce que je suis, — soutient l'anarchiste, un Max Stirner par exemple. La communauté, c'est la prison dans laquelle l'*on* retient prisonnier le *je*. C'est pourquoi je ne peux être moi-même et à l'aise que si je me retranche. D'où le thème de la tour d'ivoire, littéraire ou philosophique, citadelle de celui qui, pour s'affirmer pleinement lui-même, met toute l'humanité entre parenthèses et se voue dans la solitude à la recherche de l'expression vraie.

Il n'est que trop facile de montrer la fausseté de cette opposition. Retranché dans sa tour périgourdine, Montaigne n'est pas seul, car sa tour est une bibliothèque, — et la recherche de soi à laquelle il se complaît, c'est à autrui encore qu'il la destine : « nul plaisir n'a de saveur pour moi sans communication, écrit-il : il ne me vient pas seulement une gaillarde pensée en l'âme, qu'il ne me fâche de l'avoir produite seul, et n'ayant à qui l'offrir » (*Essais*, III, 9). Descartes, hivernant dans son poêle, ne s'est séparé que pour mieux s'unir à l'humanité entière ; Vigny, autre solitaire, lancera de sa tour du Maine-Giraud la bouteille à la mer, l'appel au confident digne de lui ; Proust, malade, s'enferme dans sa chambre calfeutrée de liège, mais lui-même disait de Noé que jamais il ne fut davantage présent au monde que dans l'arche, encore que l'arche fût close et qu'il fît nuit sur la terre. Stirner, enfin, l'anarchiste intégral, écrit un livre pour protester contre la masse au nom de l'individu ; mais la publication même de son livre témoigne d'un effort pour convertir la masse... Si l'écrivain, le penseur, fait retraite, ce n'est donc pas pour être seul. La retraite n'est pas une absence, mais plutôt la recherche d'une présence véritable. Le procès de la communication inauthentique n'est que l'aspect négatif, la contrepartie d'un effort angoissé vers l'authenticité.

Il ne saurait donc être question d'un rapport inverse entre l'expression et la communication. Les deux intentions de la parole humaine sont complémentaires. L'expression pure, dégagée de toute communication, demeure une fiction, car toute parole implique la visée d'autrui. Rompre le silence, fût-ce même par un cri d'angoisse, ou par un chant sans paroles, c'est toujours s'adresser à quelqu'un, prendre à témoin, appeler à l'aide. Le pacte social de communication n'est jamais rompu que dans le sens d'une communication meilleure, l'anarchiste même ne refusant ici l'obéissance que pour affirmer la nécessité d'une obéissance plus vraie. Autrement dit, le refus de la communication comme fait implique la nostalgie de la communication comme valeur. Lorsque le surréalisme, à la recherche de l'expression pure, reniait toute discipline de pensée et lâchait les mots à l'état sauvage, il rêvait encore d'inventer une langue, neuve et fulgurante, — comme le prouve d'ailleurs le fait qu'il y eut un public surréaliste et des chapelles surréalistes, communiquant dans l'affirmation de certaines valeurs. Toute expression tend à obtenir la *reconnaissance* d'autrui. Je veux être connu comme je suis, dans ma dernière sincérité, des hommes et de Dieu même. J'attends cette reconnaissance comme une confirmation, comme une contribution à mon être.

Inversement, l'idée d'une communication sans expression n'a pas de sens, parce que mon langage ne saurait être absolument désapproprié. Il n'existerait pas si une intention personnelle d'abord ne l'avait fait naître. Si je parle, c'est que j'ai quelque chose à dire ; il faut toujours un *je* comme sujet de la phrase. Mon langage consisterait-il à « parler comme tout le monde », ne ferait-il que répéter ce qu'on dit autour de moi, encore signifierait-il que je me rallie à l'opinion commune, ce qui suppose l'engagement d'un geste d'adhésion, que j'aurais toujours pu refuser. Même si, par souci d'objectivité, je me taisais pour laisser la parole aux autres, il resterait que le *Nous* est un assemblage de *je* : il n'y a pas de contrat social sans consentement mutuel. Toute parole a donc une fonction personnelle, elle correspond à une initiative qui nous situe dans le langage, et nous pose en nous opposant.

Il faut donc admettre l'existence d'une alliance intime entre la communication et l'expression. En fait, la communication authentique n'est pas le simple échange de mots démonétisés qui n'engagent personne. Les lieux communs et les propos sur la pluie et le beau temps représentent non pas la réussite suprême, mais la caricature de l'entente entre les hommes. La communication vraie est réalisation d'unité, c'est-à-dire œuvre commune. Unité de chacun avec l'autre, mais ensemble unité de chacun à soi-même, réarrangement de la vie personnelle dans la rencontre avec autrui. Je ne communique pas aussi longtemps que je ne fais pas effort pour délivrer le sens profond de mon être. La communion d'amour, qui représente l'un des modes d'entente les plus complets, ne va pas sans un remembrement de la personnalité, chacun se découvrant au contact de l'autre. Toute relation réelle est communication selon les personnes et non pas seulement selon les choses ; plus exactement les choses n'interviennent que comme symboles des personnes. L'expression la plus pure, l'affirmation du génie dans l'art, fonde une nouvelle communion, et la communication parfaite libère en nous des possibilités d'expression qui sommeillaient.

L'erreur est ici de s'en tenir à une conception qui prend le langage au mot, conception plate selon laquelle un mot est un mot, un sens est un sens. En réalité, une langue ne s'offre pas comme un automatisme préétabli, auquel il suffirait purement et simplement de se rallier. La langue n'existe que comme condition virtuelle de la parole en acte ; elle doit être reprise et actualisée par l'effort d'expression grâce auquel la personne s'affirme en fonction de la réalité verbale. Le langage « basique » de l'impersonnalité représente le plus bas degré de l'intention et de l'expression. De même que la langue établie n'est que le terrain de la parole, de même la parole apparaît comme le moyen nécessaire de la communication, qui consacre le moment où la parole fonde un nouveau langage, le moment où le *nous* se réalise dans l'alliance du *je* et du *tu*.

La tâche virile de prendre la parole réclame donc de nous que nous passions de la matérialité des mots à leur signification en valeur. Notre liberté concrète s'affirme à la mesure de notre capacité de promouvoir ensemble l'expression et la communication dans le langage qui nous manifeste. Il faut dès le principe renoncer ici au rêve d'une liberté absolue, liberté peut-être du Dieu qui a créé les choses en les nommant. Ni en métaphysique, ni en politique l'homme ne bénéficie d'une initiative aussi radicale, — sa liberté est liberté sous condition, liberté en situation, qui commence par l'obéissance, c'est-à-dire par la reconnaissance de ce qui est. Être libre, c'est donner une forme, mais bon gré mal gré nous devons accepter que le fond nous soit préalablement donné. Le nihiliste du langage, le surréaliste, qui atomise la parole humaine, comme pour le plaisir de la détruire, incapable de toute discipline quelle qu'elle soit, s'affirme beaucoup moins libre que le grand écrivain qui se crée un style original avec les mots de tout le monde. La liberté la plus haute commence par la communauté — non point liberté qui sépare mais liberté qui unit.

COMMUNICATION

Par opposition à l'impersonnalité de la langue morte, en troisième personne, l'expression manifeste le *je*, la communication est recherche du *toi*, — le *je* et le *tu* tendant à se rassembler dans l'unité du *nous*, attestation de la langue vivante. Il nous reste à préciser la signification de ces deux aspects d'une même entreprise.

La situation au départ est donnée par la langue établie, canevas commun de tout échange de paroles. Une langue est une institution, qui résume en elle l'essentiel des institutions d'une communauté nationale. Elle définit un équilibre en même temps qu'elle fixe des normes. « Il y a comme un contrat tacite, écrivait l'éminent linguiste Vendryes, établi naturellement entre les individus du même groupe pour maintenir la langue telle que la prescrit la règle » (*Le langage*, p. 283). Le « contrat » linguistique est un des aspects fondamentaux du contrat social. La volonté de vivre ensemble, constitutive d'une nation s'affirme dans le maintien d'un patrimoine commun de compréhension. Sous le revêtement des mots, la langue est le chiffre d'une communion selon les valeurs, et la revendication d'une nationalité s'est toujours associée dans l'histoire à la défense d'une langue, qui a pu aller, comme on le voit dans le cas de l'Irlande ou de l'État d'Israël, jusqu'à la résurrection plus ou moins artificielle d'un idiome défunt.

Mais le langage institué ne doit pas être compris à la manière d'un système fermé. La langue vivante apparaît animée d'un mouvement mystérieux, comme si le contrat collectif qui la soutient se trouvait en état de constant renouvellement. Toute tentative pour fixer une langue par voie d'autorité à un certain moment est vouée à l'échec, ainsi qu'en témoigne l'expérience de l'Académie française, chargée par Richelieu, qui fonde la monarchie absolue, de faire régner l'ordre dans le langage. Or le Dictionnaire, code du bon usage, s'avère incapable de fixer l'usage. L'arbitraire royal est ici sans pouvoir : le dictionnaire enregistre l'état de la langue, en un moment donné. Il ne peut pas arrêter le bilan, et doit recommencer son œuvre dès qu'elle est achevée, poursuivant d'édition en édition cette mise au point idéale qu'il ne terminera jamais, à moins que la France n'ait d'abord cessé d'exister. Une langue n'est donc pas une somme, mais un horizon mouvant. Et son devenir global n'est que la masse des contributions individuelles qui de jour en jour élaborent la réalité parlée.

Ainsi donc, s'il est vrai de dire que la langue fournit le cadre pour l'exercice de la parole, il faut reconnaître aussi que la langue n'existe que dans la parole qui l'assume et la promeut. Le langage institué définit un *champ de compréhension*. La communication est le rapport de deux sujets situés dans ce champ, qui leur fournit un domaine commun de référence, arrière-plan par rapport auquel leur relation momentanée se détache au premier plan. Mais cet *horizon culturel* n'épuise pas les conditions de la communication. Il est lui-même comme enveloppé par l'*horizon anthropologique*, dont il apparaît comme une détermination particulière. Avant de parler telle langue, l'homme parle, l'homme est un être de relation, et cette nature relationnelle de la réalité humaine est la condition la plus générale de tout échange parlé. Le rapport humain en général conditionne le rapport culturel, et celui-ci, à son tour, conditionne l'entrée en rapport de plusieurs personnalités, dont la rencontre revêt un caractère d'intimité variable, selon la nature des intérêts qui la motivent.

Horizon humain, horizon culturel, horizon personnel, emboîtés l'un dans l'autre, constituent le champ de compréhension comme moment commun de deux histoires qui se rencontrent. Le paysage de la communication n'est donc pas donné une fois pour toutes dans une simplicité massive. Il est fait lui-même d'une série de plans successifs sur lesquels se profile la réalité actuelle de l'entretien. L'action réagit sur le décor, et le recrée ; la réciprocité des êtres en présence se projette en une ambiance nouvelle exprimant l'état des relations en chaque moment de leur histoire. De là l'extrême complexité des aspects de la communication, qui ne sont jamais tous parfaitement explicités. La relation la plus simple ouvre des perspectives indéfinies, et son début comme sa fin paraissent souvent impossibles à déterminer en rigueur. Car la communication suppose toujours une communication préalable, elle s'achève dans une communication nouvelle, qui persistera même une fois la relation terminée. L'équilibre au départ se trouve rompu par l'intention de communiquer, d'où procède la réalisation d'un équilibre nouveau.

Supposons que je me promène dans les rues d'une ville étrangère, dont j'ignore la langue. Je me sens comme Ovide, exilé sur les bords de la mer Noire : *Barbarus hic ego sum, quia non intelligor ulli* : incapable de me faire comprendre, c'est moi le barbare, disait tristement le poète latin, qui pourtant se sentait parmi ces populations reculées le témoin de la plus haute civilisation. Étymologiquement, pour les Grecs, le *barbare* est l'homme qui bafouille un langage inarticulé, et qu'on méprise pour sa mauvaise élocution. Dominant cette mauvaise conscience de l'étranger qui se sent ridicule, je m'adresse à un passant pour lui demander un renseignement. Malgré la division des langues, le sens de la solidarité humaine crée de lui à moi la possibilité d'une relation. Or cet homme reconnaît ma nationalité et me parle dans ma langue. Entre nous s'affirme la solidarité d'une culture, le respect de certaines valeurs. Une véritable intimité va naître de cette rencontre. Je suis désormais lié de réciprocité avec mon hôte, pour le temps à venir. Et par personne interposée, c'est le pays lui-même où j'ai été bien reçu qui bénéficiera de ma sympathie.

Ainsi s'établit le rapport de communication, comme la mise en relation de deux sujets dont la rencontre détermine un domaine de référence, sur le fond duquel va se réaliser une forme commune. Une relation n'est pas possible en dehors de la reconnaissance d'une autorité, en dehors d'une *invocation*, c'est-à-dire d'une obéissance partagée qui assure l'unité, passagère ou profonde, des personnes en présence. La compréhension apparaît donc chaque fois comme un engagement. Je me livre au péril d'autrui, comme autrui s'offre à moi sous le chiffre des propos que nous échangeons. Sans doute, les cloisonnements de la vie sociale, les formules de civilité, interviennent pour limiter les risques. Chacun d'entre nous s'efforce de protéger son intimité contre les empiétements d'autrui. Il n'empêche que, malgré cette prophylaxie, toute rencontre est une aventure qui peut nous mener loin, car, selon la belle parole du poète autrichien

Hugo von Hofmannstahl, « chaque rencontre nous disloque et nous recompose... ».

Chaque parole doit être saisie en perspective selon l'être qu'elle invoque. Le sens matériel le plus apparent, le texte littéral du message, recouvre un sens formel. Les mots annoncent une intention. Ils veulent réaliser une certaine mise en direction ; ils s'adressent aux structures personnelles, dont ils visent à obtenir la conversion. Fort de l'adhésion préalable, que j'ai discernée en autrui, à certaines valeurs qui nous font un dénominateur commun, j'essaie d'élargir ou d'approfondir ce consentement. A l'efficace propre des mots s'ajoute la magie de la présence comme une charge supplémentaire pour emporter la conviction. Le moindre mot, et le plus banal, se multiplie par la vertu d'incantation dont il s'enrobe. L'ordre des mots réalise en quelque sorte la projection sur un seul plan de toute la réalité humaine, mais la rencontre demeure un événement à plusieurs dimensions qui intéresse tout l'espace vital. Le contact humain vise toujours une totalité, de sympathie ou d'antipathie, de consentement ou de refus. Le langage ici dépasse le langage : la statique du langage établi sert de prétexte et d'occasion à la dynamique d'une lutte d'influence qui ne s'arrête jamais, car la séparation même, la brouille ni la mort, ne peuvent interrompre ce dialogue des expériences une fois affrontées, aussi longtemps que l'un des interlocuteurs demeure vivant.

Le langage semble donc échapper par nature à la détermination. Ou plutôt, il faut pour déterminer le langage un effort très particulier, dont se préoccupent les techniciens des disciplines positives, attachés à définir un formulaire précis où chaque terme dise tout ce qu'il dit, et rien de plus. Le langage mathématique, la notation chimique, tous les parlers techniques, représentent ainsi des tentatives plus ou moins parfaites d'exposition universelle et objective, où le sens de chaque expression est défini de manière restrictive. A ce langage qui dit tout s'oppose le langage qui ne dit rien, ou presque, — langage de l'intimité où l'allusion prédomine, où chaque mot désigne une attitude, évoque une possibilité d'aventure intérieure. Entre les limites opposées du langage explicite et du langage implicite, — du parler complet et du silence, s'échelonnent les formes usuelles du demi-mot et de la réticence. Et l'on peut discuter sans fin pour savoir si la perfection de la parole humaine se trouve dans le langage qui dit le plus, ou dans celui qui dit le moins. Peut-être d'ailleurs le langage qui dit le plus est-il en fin de compte celui qui dit le moins, — langage selon l'objectivité des choses mais non selon la personnalité des êtres, langage inhumain.

Il apparaît, en tout cas, que le langage, lié à la présence d'autrui, ouverture à autrui, contribue en même temps à la constitution de l'être personnel. Toute communication est liée à une prise de conscience. Le détour d'autrui me ramène toujours à moi. Dans la réciprocité du parler et de l'écouter s'actualisent en moi des possibilités en sommeil : chaque parole, proférée ou entendue, est la chance d'un éveil, la découverte peut-être d'une valeur à l'appel de laquelle je n'avais pas été sensible. Étymologiquement, la notion de *con*-science évoque la sortie de la solitude, le dédoublement d'un être *avec*. Il y a dans la communication une vertu créatrice, dont l'homme isolé ressent douloureusement la privation. Tel était le témoignage de Wagner, qui, dans une période douloureuse de sa vie, écrivait à l'un de ses confidents : « Dépourvu de tout stimulant du monde tangible, toujours réduit à me nourrir de ma propre substance, j'ai besoin, pour pouvoir maintenir quelque peu mon énergie vitale, des relations les plus actives et les plus encourageantes avec l'extérieur : d'où m'arriverait donc encore, finalement, le désir de communiquer le tréfonds de mon être si je rencontrais partout le silence autour de moi ? » (*Lettres à Hans de Bülow*, trad. Khnopff, Crès, 1928, p. 15).

La communication a donc une vertu créatrice. Elle donne à chacun la révélation de soi dans la réciprocité avec l'autre. C'est dans le monde de la parole que se réalise l'édification de la vie personnelle, la communion des personnes se présentant toujours sous la forme d'une explicitation de valeur. La grâce de la communication, où l'on donne en recevant, où l'on reçoit en donnant, c'est la découverte du semblable, du prochain, — de l'autre moi-même, dans l'amitié ou dans l'amour, plus valable que moi parce qu'il s'identifie avec la valeur dont la rencontre m'a permis la découverte. Chacun donne à l'autre l'hospitalité essentielle, dans le meilleur de soi ; chacun reconnaît l'autre et reçoit de lui cette même reconnaissance sans laquelle l'existence humaine est impossible. Car, réduit à lui-même, l'homme est beaucoup moins que lui-même ; au lieu que, dans la lumière de l'accueil, s'offre à lui la possibilité d'une expansion sans limite.

EXPRESSION

Pour que je prenne la parole, il faut qu'elle me soit, d'une manière ou d'une autre, donnée par autrui. Mais si le langage est trait d'union, invocation, — il est aussi évocation, exclamation. Le rapport à autrui ne prend un contenu que par sa référence à la réalité personnelle qu'il démasque dans celui-là même qui parle. Pour communiquer, l'homme *s'ex-prime*, c'est-à-dire qu'il se met en œuvre, qu'il produit de sa propre substance, un peu comme le fruit qu'on presse pour en exprimer le jus. Le mythe du pélican nourrissant ses petits de ses entrailles offre, dans un style plus noble, une reprise de la même image pour caractériser l'expression poétique.

La fonction expressive de la parole humaine fait équilibre à sa fonction communicative ; elle commande certains aspects essentiels de notre expérience. Aux origines mêmes de l'existence, l'expression semble s'affirmer à peu près seule. Le premier cri de l'enfant, puis tous ses exercices vocaux avant l'acquisition du langage, manifestent la prépondérance de la première personne sur la seconde ou la troisième. Sans doute, le cri est un appel, mais il adhère à la réalité personnelle qu'il exprime. Même après la première éducation, le langage enfantin demeure largement égocentrique : babillage et jeux de mots, passe-temps articulatoires, se situent en dehors de l'utilité pratique et de la réalité sociale. C'est seulement après 7 ans — « l'âge de raison » de la sagesse traditionnelle — que la parole de l'enfant, au dire des psychologues, atteste la prépondérance de la fonction de communication sur la fonction simplement expressive. L'expression l'emporterait donc aux origines, — comme elle l'emporte d'ailleurs lorsque la parole atteint à sa plus haute intensité : dans la passion ou dans l'effroi, le *cri*, dégagé de toute contrainte sociale, obéit à une spontanéité essentielle de l'être. Et, dans un autre ordre, le *chant* du poète fait entendre une parole plus secrète et plus pure, libre des contaminations extérieures, un cri sublimé où l'expression atteint à sa plus noble valeur.

Entre ces situations-limites, l'expression est toujours présente comme un coefficient de la parole, qui ferait équilibre au coefficient de la communication. Pour que disparaisse le besoin de s'exprimer, il faut que le goût de vivre lui-même soit atteint. « Je n'ai plus grande curiosité de ce que peut m'apporter encore la vie, affirme une des dernières pages d'André Gide. J'ai plus ou moins bien dit ce que je pensais que j'avais à dire et je crains de me répéter... » (*La Nouvelle Revue Française*, Hommage à André Gide, 1951, p. 371-2). Et le grand écrivain, constatant qu'il n'a plus rien à dire, se pose aussitôt la question du suicide. Ainsi chaque vieillard se prépare à la mort, en faisant l'apprentissage du silence définitif. L'homme vivant, écrivain ou non, a toujours quelque chose à dire, comme une contribution à la réalité du monde dans lequel sa tâche est de s'affirmer.

De même qu'un visage dépourvu de toute expression ne serait plus un visage humain, ainsi la personne tout entière nous apparaît comme un être d'expression, c'est-à-dire comme l'origine d'intentions qui lui sont propres et lui permettent de transfigurer l'environnement. La parole n'est d'ailleurs que l'un des moyens d'expression, le plus parfait peut-être, mais non le seul. L'éducation de l'acteur comporte un apprentissage de la mimique et du geste : privé de la voix, puis même du visage, grâce à l'imposition du masque, l'élève doit devenir capable de figurer par la seule ressource de son corps les divers sentiments humains ; mieux encore, son comportement doit évoquer, sur le tréteau nu, les divers paysages : la prairie, la montagne, la forêt, le soleil, la pluie, la boue... La magie de la présence humaine, réduite au jeu des expressions organiques, suffit donc à suggérer un paysage. Or l'exercice de l'acteur reproduit dans l'abstrait une affirmation que chacun d'entre nous ne cesse, inconsciemment, de faire rayonner autour de soi. Nous sommes centres d'univers ; nos manières d'être, notre humeur donnent sens, à tout instant, à l'environnement des êtres et des choses. Ce qu'on appelle la personnalité d'un homme ou d'une femme se lit dans le décor de sa vie, sédimentation de ses manières d'être, inscription d'une existence dans le monde.

La fonction de l'expression consiste donc dans une procession de l'homme hors de soi pour donner sens au réel. L'expression est l'acte de l'homme qui s'établit dans le monde, c'est-à-dire qui s'ajoute au monde. Il appartient à chacun de créer ainsi son équilibre, ou de le retrouver, par la mise en jeu de ses ressources intimes, lorsqu'il est compromis. Le langage, par sa visée cosmique, permet donc notre atterrissage. Il a puissance pour nous rétablir, si brusquement nous nous trouvons coupés de nos sécurités usuelles. Telle est la fonction du parler le moins élaboré, où l'expression s'affirme indépendamment de toute intelligibilité discursive, comme à l'état pur. Toutes les variétés du cri, le hurlement, l'exclamation, l'interjection, le juron apparaissent ainsi comme des efforts pour adapter le moi à un monde qui se dérobe. La surprise, la joie, la peur, l'épouvante donnent la parole à l'émotion pure ; l'expression se condense à son paroxysme d'intensité, réaction catastrophique, tentative désespérée de faire face au dérèglement des circonstances qui nous frappe d'une désorientation radicale. Devant l'angoisse, la torture ou la mort, lorsque l'homme n'a plus rien d'humain à affirmer, son cri reste le seul témoignage dont il soit encore capable, où se confondent l'évocation et l'invocation dans le suprême appel de la conscience ; dépouillée de tout autre moyen, elle ne compte plus que sur l'efficacité magique de sa clameur pour sauver la situation.

Même dans ce cas extrême, l'expression apparaît donc encore liée au besoin d'établir une correspondance entre le dedans et le dehors. L'homme ne peut vivre retranché. Son être ne se définit pas par opposition, mais par rayonnement, — c'est-à-dire par la capacité en chaque instant d'imposer une forme à l'ambiance. La personne, lors même qu'elle croit se refuser, ne cesse de se manifester. Quand elle veut cacher son secret, elle le joue, comme le chiffre même, le sens de ses conduites. Rien n'est tout à fait vrai pour nous aussi longtemps que nous ne pouvons pas l'annoncer au monde comme à nous-même. La publicité fait partie de nos joies et de nos peines : l'amoureux ne peut s'empêcher de clamer son bonheur, le converti sa foi ou le malheureux sa désespérance. L'expression n'intervient pas ici comme un élément secondaire ; elle est la prise de conscience de son aventure par le héros lui-même. Le sens dernier du secret se trouve peut-être dans la nostalgie de l'aveu libérateur, et le Royaume de Dieu dont tout homme rêve à sa façon serait sans doute l'universelle épiphanie de chacun à tous.

Nous n'en sommes évidemment pas là, mais toute l'expérience humaine dans sa signification militante peut-être comprise comme un effort vers l'expression. Sainte-Beuve, homme de lettres, disait que pour une certaine famille d'esprits, « écriture, c'est délivrance ». Tel est le chemin de l'écrivain : la discipline de l'expression le débarrasse des spectres qui le hantent. Victime de son amour malheureux, Werther meurt, mais Gœthe est sauvé ; Hugo domine, à force de vers immortels, la souffrance de Léopoldine disparue. Tous les hommes n'écrivent pas, mais tous recourent à la vertu de l'expression, dans la parole ou dans l'action, pour dominer les menaces intimes, faire échec à la tentation paresseuse du souci ou de la souffrance. La parole ici atteste la distance prise. La décision pour l'expression marque le seuil qui permet de passer de la passivité du rongement intérieur à l'activité créatrice. Parler, écrire, exprimer, c'est faire œuvre, c'est durer par delà la crise, recommencer à vivre, alors même que l'on croit seulement revivre sa peine. L'expression a valeur d'exorcisme parce qu'elle consacre la résolution de ne pas s'abandonner.

L'exemple du poète est particulièrement significatif dans la mesure où il porte à son maximum l'effort d'expression dans le langage. L'écrivain est homme de parole en ce sens qu'il doit s'affirmer lui-même par l'usage qu'il fait de la parole, l'impersonnalité de la langue établie cédant à la suggestion de l'être personnel. Mais le langage du poète en sa maîtrise n'est pas régression jusqu'à l'égocentrisme enfantin, où la communication laisse toute la place à l'expression. Il faut que l'expression, ici, emporte l'adhésion d'autrui, et qu'elle fonde, de l'auteur aux lecteurs, une nouvelle communication. L'écrivain pour être compris doit partir du langage de tout le monde ; mais de ce langage, s'il a du génie, il se servira comme personne avant lui ne s'est servi. Cette reconquête du langage correspond à la création d'un *style*, en lequel la personnalité du poète se crée en même temps qu'elle se manifeste.

Le poète est l'homme qui retrouve la parole grâce à une ascèse qui le délivre lui-même. Le langage établi est un langage dévalué, parce que le propre de la communauté est de réduire la valeur à l'état d'objet ; langage rogné, devenu simple dénominateur commun, langage décentré, parce que son centre est partout et sa circonférence nulle part. Le poète opère la restitution du verbe. Il rend à la parole ses résonances, il offre chaque mot dans une situation nouvelle, et telle que sa vertu réapparaît. « Donner un sens plus pur aux mots de la tribu », le programme de Mallarmé, c'est le programme du génie par la grâce duquel les mots les plus usagés retrouvent mystérieusement leur intégrité originelle et s'animent d'une phosphorescence radieuse. La parole vivante les a délivrés de leur captivité au sein d'une langue morte, le poète rend justice aux mots alors même qu'il les réduit à l'obéissance du style.

Aussi bien, le jeu des mots se dépasse ici lui-même infiniment. Le bienfait du style est que l'ascèse ne demeure pas seulement formelle. En œuvrant sur les mots, on découvre les idées ; l'attention à la parole, par le souci d'éviter les équivoques et les à peu près du langage courant, est attention au réel et à soi-même. Le souci de l'expression juste se relie au souci de l'être juste : justesse et justice sont deux vertus apparentées. Il ne s'agit jamais du seul univers du discours, car toute édification, et celle-là même de l'architecture, est édification de l'homme. De quoi témoigne, dans le cas de la littérature, l'héroïsme sans relâchement nécessaire à la poursuite de la lutte pour le style. L'effort ne cesse jamais ; à la moindre détente la forme neuve dégénère en formule. Il est un moment, quand la vertu se perd, où le style paraît comme une imitation de soi, un ensemble de tics de l'expression, dont la personne est la victime plutôt que la maîtresse. Le grand artiste évite de se pasticher lui-même ; il entreprend sans cesse à nouveau le labeur de vigilante présence au monde et aux mots, labeur à jamais inachevé, car le monde change et se renouvelle et l'homme vivant avec lui.

La vertu de style n'est donc pas privilège de poète. L'écrivain nous apparaît comme un témoin de l'homme dans son entreprise pour imposer sa marque à l'environnement. Le style exprime la *ligne de vie*, le mouvement d'une destinée selon sa signification créatrice. Le mot célèbre de Buffon : « le style est l'homme même » doit être accepté dans la plénitude de son sens. Le style affirme l'homme, non pas seulement le style de parler ou d'écrire, mais le style de vivre en général. La personne se dénonce ellem-ême dans chacune de ses attitudes : on soigne ses vêtements comme on soigne sa parole ; on peut soigner chacun de ses instants, ou bien les abandonner à un laisser-aller qui atteste le défaut de discipline personnelle, comme un manque de *tonus* et ensemble de *tenue*. L'effort pour le style peut ici servir de définition à la personnalité tout entière, comme l'entreprise de donner à chaque moment de l'affirmation de soi la valeur qui lui convient. La présence de l'homme à son propre présent lui pose un problème sans cesse renouvelé, car aucune solution ne mettra fin à la question, et la justesse ici est affaire d'un goût toujours menacé de tomber dans le défaut ou dans l'excès : il n'y a pas loin de la simplicité à la recherche et à l'affectation, de l'élégance à la coquetterie ou à la préciosité. La grâce de l'expression juste est le privilège de certains êtres qui découvrent d'emblée le point d'équilibre et se révèlent, devant la difficulté la plus imprévue, toujours à la hauteur des circonstances.

Le style est donc l'expression propre de la personnalité. Comme le langage est un monde, le monde est un langage qui doit obéir à la suggestion de l'authenticité personnelle. Être original, c'est être une origine, un commencement, et marquer la situation de son chiffre, non point qu'il suffise comme Alcibiade, le jeune dandy, de faire couper la queue de son chien, ou de zézayer à la manière des Incroyables. La vertu d'originalité ne consiste pas à attirer sur soi les regards par tous les moyens ; elle n'est pas tournée vers le dehors, mais vers le dedans. Elle correspond au souci de l'expression juste, à la probité dans la manifestation de soi. En ce sens, il appartient à chacun de se donner son langage, de trouver son style. Le regard de chacun sur le monde est une perspective qui n'appartient qu'à lui ; le style signifie la prise de conscience de la perspective, donnée à l'homme comme une tâche. Chacun d'entre nous, et le plus simple des mortels, a charge de trouver le mot de sa situation, c'est-à-dire de se réaliser dans un langage, reprise personnelle du langage de tous, qui représente sa contribution à l'univers humain. La lutte pour le style est lutte pour la vie spirituelle.

L'AUTHENTICITÉ DE LA COMMUNICATION

L'expression parfaite signifierait, pour la personne, la manifestation plénière de ce qu'elle est, sans aucune réserve. La communication parfaite consisterait dans une communion avec autrui où la personnalité perdrait le sens de ses propres limites. Il est clair, comme nous l'avons montré, que l'expression ne peut être totale sans la conscience d'être compris, et que la communauté n'a de valeur que si elle met en œuvre les ressources de chacune des existences qu'elle unit. Une seule nostalgie offre à l'homme les deux faces alternantes d'un même désir d'absolu. De ce point de vue, l'expérience de la parole serait l'expérience d'un échec. Au lieu de servir les exigences conjuguées de l'expression et de la communication, il semble que le langage crée d'insurmontables obstacles à leur complète satisfaction.

Ce nouveau procès du langage ne porte pas sur la bonne ou la mauvaise foi. Il ne s'agit plus ici de récriminer contre l'injustice établie, contre le désordre moral et social, mais de prendre conscience d'une limitation constitutionnelle de la parole humaine, d'une insuffisance ontologique. Les mots sont des moyens de communication très imparfaits ; bien souvent ils dissimulent au lieu de manifester, et opposent à l'homme un écran là où il rêve de parfaite transparence. Tout homme se sent méconnu et incompris ; tout homme désire, aux heures de mélancolie, un autre moyen d'intelligibilité, où la parole serait chant, où le chant serait spontanément fidèle aux inflexions les plus subtiles de l'âme. Le besoin de parler, estime Plotin, est la sanction d'une déchéance qui a privé la créature de sa perfection originaire ; il s'éteindra une fois cette perfection retrouvée dans un monde meilleur : « Quant au langage, écrit-il, on ne doit pas estimer que les âmes s'en servent, en tant qu'elles sont dans le monde intelligible ou en tant qu'elles ont leur corps dans le ciel. Tous les besoins ou les incertitudes qui nous forcent ici-bas à échanger des paroles, n'existent point dans le monde intelligible ; les âmes agissant d'une manière régulière et conforme à la nature n'ont ni ordre ni conseil à donner ; elles connaissent tout les unes des autres par simple intelligence. Même ici-bas, sans que les hommes parlent, nous les connaissons par la vue ; mais là-haut, tout corps est pur, chacun est comme un œil ; rien de caché ni de simulé ; en voyant quelqu'un, on connaît sa pensée avant qu'il ait parlé » (*Ennéades*, IV, 3, 18, tr. Bréhier, coll. Budé).

Pour le mystique, le langage impose une distance de l'âme à l'âme, de l'âme à Dieu. Le monde de la parole serait donc un univers de la relativité généralisée, où le salut ne serait possible que dans la grâce de l'évasion. L'insuffisance du langage coïncide d'ailleurs avec l'insuffisance du monde lui-même ; rien n'est ici-bas à la mesure de nos aspirations, la vraie patrie est ailleurs : telle, se renouvelant d'âge en âge, la réclamation d'un spiritualisme mal capable de supporter les servitudes de l'incarnation. Parler sa pensée, ou son amour, ou sa foi, ce serait déjà trahir ; il ne peut y avoir de vérité qu'en deçà. Le langage nous maintient la tête contre terre, il s'oppose à toute élévation. « Qu'un homme ait le droit de parler du beau temps, écrit Kierkegaard, je le sais, mais l'autre question m'a occupé toute ma vie... Il y a une relation de silence par laquelle nous sommes liés à Dieu et qui est brisée si nous nous entretenons avec un autre de ce qui est pour nous la plus haute affaire » (*Journal*, 1850).

Cette objection au langage dans son essence même remet tout en question. En fait, dans la plupart des cas, il semble pourtant que le langage réalise ce qu'on attend de lui, l'entente entre les interlocuteurs. Mais la nature de cette entente doit être reconsidérée. L'usage courant de la parole correspond à un échange d'informations, de consignes, de messages ; sauf malentendu, qu'il est toujours possible de corriger, on arrive à se mettre d'accord quand il s'agit de partager la tâche quotidienne de vivre et de travailler ensemble. La réussite du langage pragmaitque se prolonge et s'amplifie dans le cas du langage scientifique : des physiciens, des chimistes, des mathématiciens peuvent converser entre eux en se comprenant parfaitement. Leurs problèmes seront résolus par la seule élucidation du formulaire technique dont ils disposent, et qu'ils sont d'ailleurs libres d'enrichir si besoin est.

La réussite du langage tient ici à ce que chaque terme répond à une signification donnée, cette détermination elle-même s'affirmant dans un horizon commun aux individus en présence. Deux ingénieurs s'affrontent dans le champ clos de vocabulaires définis avec précision, de sorte que la contestation qui peut surgir entre eux apparaît subordonnée à un accord préalable qui la dépasse de beaucoup en ampleur. De même, dans la vie quotidienne d'une famille, d'un groupe de travail, l'échange des paroles se réalise sur le fond d'une entente globale,

— moins rigoureusement formalisée que celle qui soutient la géométrie euclidienne ou la technique du béton, mais tout de même suffisamment définie par un consentement mutuel et tacite. La vie familiale comme la vie professionnelle trouvent dans le langage un instrument docile aussi longtemps qu'elles se maintiennent au niveau des significations moyennes codifiées par l'usage. Les voyageurs du dimanche, rassemblés par le hasard dans le compartiment d'un « train de plaisir » peuvent converser de la pluie et du beau temps en toute sérénité. Ils se comprennent parfaitement.

Mais, objectera-t-on, si ces gens se comprennent si bien, c'est qu'ils n'ont rien à dire. Ils sont accordés d'avance les uns aux autres par leur commune insignifiance. Les *lieux communs* qu'ils débitent avec assurance leur tiennent lieu de personnalité. Quant aux savants, aux techniciens, ils ont eux aussi, mais d'une autre façon, renoncé à leur affirmation personnelle pour se convertir à l'unité d'un système objectif ; il ne risque pas d'y avoir entre eux de malentendu pour la bonne raison que, aussi longtemps qu'ils jouent le jeu, ils disent tous la même chose. Les hommes ne peuvent se mettre d'accord qu'en tournant la difficulté, c'est-à-dire en renonçant à être eux-mêmes pour jouer le rôle de récitants dans un même chœur collectif. Tout langage a par constitution la valeur de dénominateur commun. Parler, c'est donc s'écarter de soi pour se confondre avec tous. Il n'y a pas de langage pour l'originalité, — c'est-à-dire pour la différence, c'est-à-dire pour la personnalité.

Tel est le point de vue développé avec beaucoup de pénétration et de force par des penseurs comme Kierkegaard, et, plus près de nous, Karl Jaspers. Leur thèse revient à montrer que l'exercice de la parole a pour effet de substituer à chacun des interlocuteurs du dialogue une sorte d'individu moyen, impersonnel. Autrement dit, le langage ne peut traduire que l'extériorité des êtres et des choses. Il se refuse radicalement à exprimer l'intimité. Car toute parole est *publication*, publicité ; elle consacre le recours à un intermédiaire, à un *moyen* d'expression. là où le contact devrait être, d'âme à âme, immédiat. Lorsque deux êtres sont en présence, le langage est en tiers et il fausse leur accord. Le désir d'authenticité personnelle exige l'application au langage d'un principe du tiers exclu, les mots communs, les idées reçues imposant toujours la présence indésirable, et le contrôle, de ces absents qui ont toujours tort.

Il y aurait donc sur ce point une insuffisance congénitale de la parole humaine. Je ne peux manifester de ma pensée que l'extérieur, la surface. Le fond se dérobe oujours, car le fond n'est pas une idée ou une chose, mais l'attitude qui m'est propre, l'intention de toute ma vie. Cet horizon de mon être ne peut s'expliciter, et c'est pourtant par rapport à lui que s'établit le sens de tout ce que je peux dire. Je ne peux donc rendre public le meilleur de moi, et dans la mesure où deux existences ne peuvent coïncider absolument, je ne dispose d'aucun moyen sûr d'accéder au meilleur d'autrui. Chaque homme demeure ainsi pour tous les autres un secret. Il ne saurait y avoir d'entente directe, de compréhension plénière. Le maître donne à ses élèves un enseignement, mais sa doctrine publiée, objectivée n'est pas le meilleur de son influence. En dehors et en dépit des discours, un contact s'établit entre le maître et le disciple, dialogue sans paroles, et chaque fois différent, dialogue caché, le seul décisif. Il y a ainsi un mystère du rayonnement des grands maîtres : un Socrate et récemment encore un

Alain exerçaient sur leurs élèves une véritable fascination, différente de chacun à chacun, et chaque fois exclusive, dont les lecteurs des écrits d'Alain ou des témoignages contemporains sur Socrate ne parviennent à se faire que très malaisément une idée. De même encore, la présence de Jésus signifiait pour chacun de ses fidèles une relation directe et vivante, au sein de laquelle la parole se faisait vocation, rencontre de l'être avec l'être, et les quelques mots effectivement prononcés n'en donnent qu'une bien lointaine approximation.

L'efficacité de la parole trouverait donc ici une limite impossible à franchir. Les mots ne donnent pas un accès direct à la vérité personnelle. Tout au plus peuvent-ils réaliser une sorte de mise en direction. L'enseignement explicite du maître compte moins que le témoignage de son attitude, l'incantation d'un geste ou d'un sourire. Le reste est silence, car le dernier mot, le maître mot d'un homme, n'est pas un mot. La communication la plus véritable entre les hommes est une *communication indirecte*, c'est-à-dire qu'elle s'opère malgré le langage, par des moyens de fortune, — et souvent à contre-sens du langage. La dernière retraite en chacun de nous est un domaine où les paroles n'ont pas accès ; l'âme s'y retrouve seule dans l'ombre et le silence, avec cette « certitude étrange, évoquée par Rilke, le poète, que tout ce qui dépasse une belle médiocrité, essentiellement incapable de progrès, devra, au fond, être accepté, subi et vaincu dans la plus complète solitude, comme par quelqu'un d'infiniment isolé, quasiment unique » (*Lettre* du 4 novembre 1909, trad. Pitrou).

Le thème de la communication indirecte se lie à une conception de l'homme qui insiste sur le noyau secret de chaque vie. Le silence est plus vrai que la parole, et les poètes, souvent, les écrivains, ont insisté sur le mur de l'inexprimable à quoi se heurtent leurs plus hauts efforts d'expression. L'obscurité même des grands poètes, l'hermétisme d'un Rimbaud, d'un Mallarmé, d'un Valéry, affirme le paradoxe du dévoilement nécessaire et impossible. Baudelaire, reprenant une image de Poe, énonce sous le titre : « mon cœur mis à nu » ce désir d'une épiphanie, d'une révélation totale de soi, qui serait aussi le salut tant recherché. Mais l'obscurité ne se dissipe pas. Plus on parle, plus on se tait, plus on s'efforce de dire, plus on s'enfonce dans un silence irrémédiable. Si le corps est une tombe, si le monde est un cachot, le langage aussi est une autre prison qui nous mure en nous-même d'autant plus cruellement qu'il semblait devoir nous libérer tout à fait.

Cet ensemble de lieux communs de la philosophie, de l'art et de la mystique, signale une difficulté réelle, mais non point définitive. Une analyse plus précise des conditions du dialogue devrait en effet nous permettre de dépasser ce moment de désespoir. Le plus urgent est de ressaisir la parole dans le contexte de la situation particulière où elle intervient. Une phrase ne se pose pas dans l'absolu : elle suppose un certain état des relations entre les interlocuteurs, et l'horizon d'un langage correspondant à des valeurs communes. Dans l'usage courant, le contexte va de soi, de sorte que le texte littéral des propos semble se suffire à lui-même. La conversation familière ou l'article de journal se règlent sur un langage existant, mis au point une fois pour toutes en fonction de valeurs moyennes tacitement reconnues. Le décalage ne se manifeste, et le malentendu, que lorsque l'une des personnes en présence répudie le consentement mutuel implicite et dénonce le pacte social du langage courant. La parole automatique et approximative fait place alors à une parole d'authenticité, qui se heurte à toutes sortes d'obstacles.

L'examen de cette parole d'authenticité pourra néanmoins nous permettre de dégager les implications d'un langage valable. Le sens d'une parole dépend en effet de trois coefficients distincts dont l'ensemble seul la justifie. Tout d'abord il faut considérer *de qui* est cette parole. Celui qui parle, en quelle qualité parle-t-il ? Est-ce l'homme au jour le jour, l'homme de l'instant qui passe, gaspillant ses propos comme graines au vent ? ou bien s'engage-t-il dans ce qu'il affirme, et à quel degré ? Il y a donc une qualification personnelle, qui mesure l'intensité de la parole. Elle peut dénoncer l'être : la promesse, le serment affirment directement une attitude en valeur où l'homme fait corps avec ce qu'il dit. Mais la plupart de nos phrases ne présentent pas cette tension intime ; elles sont plus ou moins débrayées de l'être personnel. Une appréciation juste devrait essayer de doser ce plus ou ce moins d'authenticité que l'homme parlant confère à sa parole.

Mais la référence à celui qui parle demeure unilatérale : il faut tenir compte aussi de l'autre, de celui *à qui* la phrase s'adresse. Cette visée est essentielle, car la parole prononcée n'a vraiment d'efficace que s'il y a réciprocité entre les interlocuteurs. S'ils ne se trouvent pas en simultanéité d'attitude, mais décalés l'un par rapport à l'autre, le malentendu interviendra nécessairement. Le sens littéral des mots sera peut-être compris, mais leur sens en valeur échappera. Si l'on me croit sérieux quand je plaisante, ou plaisant quand je témoigne de ma sincérité dernière, mes paroles perdent leur signification en cours de route. Une affirmation profonde et tendue, une confession, un témoignage venu des profondeurs, sont aussi difficiles à écouter qu'à dire. Il exige pour atteindre à sa plénitude une même ferveur de part et d'autre, une sorte de communion préalable. Chaque fois que je prends la parole, ce que je dis dépend de l'autre, que vise mon langage : indifférent, adversaire ou ami et allié. Un sens est toujours le fruit d'une collaboration.

Enfin cette collaboration elle-même ne s'exerce pas dans l'absolu. Le *moment* est la troisième dimension de tout énoncé verbal. Chaque parole est à sa manière une parole de circonstance, chaque mot est un mot historique. La situation suffit à mettre en valeur tel ou tel propos, qui devient décisif parce qu'il est prononcé en un moment décisif : telle ou telle dernière parole ne serait pas demeurée dans la mémoire des hommes si elle n'avait pas été la dernière d'un personnage historique.

Une saine exégèse ne doit donc pas se contenter de considérer le *mot à mot* d'un homme, c'est-à-dire de projeter en quelque sorte toutes ses paroles sur un seul plan. Il faut procéder à une sorte d'étude en relief, où l'énoncé, chaque fois, prend forme et vie selon le degré d'engagement personnel de l'homme qui parle, selon la réciprocité de la rencontre et selon la signification du moment. La teneur apparente du discours s'efface devant sa valeur personnelle. Au surplus une telle appréciation ne peut être menée à bien que par celui en qui le sens même de la situation se trouve en quelque sorte restitué. La parole extrême de la situation-limite ne prend tout son sens que dans une autre situation-limite. Toute compréhension véritable est elle-même une œuvre. Le héros parle au héros, le poète au poète, et l'appel du saint n'est efficace que s'il délivre en nous une possibilité de sainteté qui s'ignorait. L'incompréhension est fin de non-recevoir opposée à l'exigence d'autrui, et en même temps détermination d'une de nos limites. Aussi bien pouvons-nous devenir étranger à nous-même, et, parce que notre vie, un moment portée à la plus haute conscience des valeurs, est retombée à sa médiocrité coutumière, cesser de comprendre telle attitude qui fut nôtre, telle promesse que nous avons donnée. Nous renonçons alors à *tenir notre parole* — comme la voix incapable de tenir une note élevée, et qui retombe — parce que nous nous révélons impuissants à conserver présente l'actualité des valeurs qui, un temps, nous illuminèrent.

La critique du langage ne doit donc pas le considérer à plat, et partir de l'idée que n'importe qui peut dire n'importe quoi, à n'importe qui, en n'importe quel moment. Les penseurs qui insistent sur le caractère indirect de la communication se font d'ordinaire une sorte d'idole du langage juste, comme si la vérité était un caractère intrinsèque de la parole. Or une parole n'est pas vraie en soi, une parole n'est qu'un entre-deux, un cheminement de l'homme à l'homme à travers le temps. Le langage se définit comme une voie de communication, il n'est pas la communication elle-même. La condamnation de la parole se fonde d'ordinaire sur le préjugé intellectualiste que la vérité doit se présenter comme un discours, après quoi on montre sans trop de peine qu'aucun discours n'équivaut effectivement à la vérité. Il faudrait ici songer à certains interrogatoires passionnés ou à certains procès, où l'on adjure par exemple le coupable présumé de *dire la vérité.* Or, en dépit des efforts apparemment sincères des questionneurs et des questionnés, l'impression persiste que l'essentiel demeure caché. Matériellement pourtant, tout est dévoilé : mais un mystère subsiste, un mystère humain que le langage ne parvient pas à élucider. Les faits sont établis, les intentions demeurent confuses, parce que les hommes eux-mêmes ne sont pas clairs. Le journaliste qui assiste à tel procès d'assises en conclut qu' « on ne saura jamais la vérité ». La faute n'en est pas au langage : si la vérité ici ne peut pas se dire, c'est qu'elle n'est pas un dire, mais un être et un faire.

La communication n'est donc indirecte que si l'on prétend d'abord identifier le langage avec l'être, comme s'il suffisait de dire les mots pour que l'être se transmette avec eux. Or la valeur n'est pas dans le langage, mais dans l'homme qui s'efforce par tous les moyens de se réaliser selon le meilleur. La parole peut contribuer à cette éducation de l'homme par l'homme, à cette épiphanie de l'être, mais elle n'est ici que seconde — non pas mot magique dispensant de tout effort, mais point de repère au long de cette ascèse que constitue la réalisation de l'homme selon la vérité. L'idée d'un langage parfaitement juste est d'ailleurs aussi fausse que l'idée d'un homme parfaitement juste. L'homme vivant est un homme en marche, et l'exercice de la marche consiste à rétablir sans cesse un équilibre en train de se rompre. La parole est un chiffre particulièrement précieux de ce mouvement perpétuel de l'être humain, qui s'oppose à toute mise en formule définitive.

Ainsi se justifie l'expérience de l'*inexprimable*, à quoi se heurte souvent le désir d'expression de l'écrivain. L'expression totale serait l'actualisation de toutes les possibilités, la libération de toutes les candidatures à l'être constitutives d'une réalité personnelle, — une sorte de dénouement de l'homme. Une telle expérience supposerait un passage à la limite, dont certains moments particulièrement tendus de l'existence peuvent donner une idée : la vision panoramique des mourants, par exemple, qui ressaisirait comme d'un seul coup d'œil l'ensemble d'une vie. Cette situation transcende le plan de la parole, aussi bien que le régime normal de la vie humaine.

Les mots nous offrent des points d'appui pour la réalisation de ce que nous sommes. Mais nos derniers mots ne sont pas seulement des mots ; les mots suprêmes qui scellent une communion, les consentements ultimes de l'amour et de la vérité, supposent une langue ascèse de soi à soi et de soi aux autres. Ils sont la sanction d'un effort de vie, dont ils ne sauraient dispenser. L'homme digne de ce nom n'accuse pas le langage d'insuffisance constitutionnelle. Il s'efforce d'agir sur soi pour accéder au langage, pour donner la parole au meilleur de son être. Le grand poète n'est pas celui qui proclame : « Les plus beaux vers sont ceux qu'on n'écrira jamais... » Les plus beaux vers sont ceux qu'ont écrits les poètes les plus aptes à lutter avec le langage pour le réduire à l'obéissance. Le grand écrivain, un Balzac, un Dostoïevsky, triomphe de l'inexprimable non pas lorsqu'il le dénonce, mais lorsqu'il l'exprime. Le génie en intention, incapable de passer à l'acte, n'est qu'un rêveur qui cherche des alibis pour son inefficacité. Le passage du possible au réel apporte la mesure effective de chacun, par delà l'inconsistance des rêveries. Il n'y a pas, en ce sens, d'écart entre le langage et la pensée, car le langage *est* la pensée : une pensée mal exprimée est une pensée insuffisante.

C'est de la même manière que doit être comprise l'obscurité dont on a fait, bien souvent, reproche aux écrivains. Le lecteur naïf se révolte parce qu'il ne comprend pas tel ou tel texte littéraire aussi aisément qu'un article de journal. Il accusera volontiers l'auteur d'avoir obscurci à dessein ses écrits. Mais l'hermétisme authentique, en peinture, en musique aussi bien qu'en littérature, n'est que la contrepartie de la lutte de l'artiste pour affirmer une vision originale du monde. L'ascèse du style correspond à une exigence de précision qui éloigne le créateur des formules toutes faites du langage établi. Il a dû passer du sens commun au sens propre, qui est le sien, au prix d'un combat parfois héroïque. Pour comprendre les œuvres d'un Monet, d'un Debussy, d'un Mallarmé ou d'un Claudel, l'amateur doit y mettre du sien. L'effort du créateur demande en réciprocité un effort analogue de dépouillement : la communication implique un partage de la difficulté. Or le lecteur moyen, l'auditeur ou le spectateur banal croient pouvoir obtenir sans y mettre le prix ce qui a coûté tant de peine au créateur : il préférera toujours l'écrivain ou l'artiste à la mode qui parle et qui sent comme tout le monde. La difficulté du nouveau langage ira d'ailleurs en s'atténuant lorsque son originalité créatrice aura engendré un nouveau sens commun. Les novateurs d'hier sont les classiques d'aujourd'hui, lorsque leur langage neuf et difficile s'est imposé et qu'il est devenu le langage de tout le monde.

La notion de communication indirecte demanderait donc à être réinterprétée, dans la mesure où elle semble accuser le langage alors que c'est la nature même de l'homme qui se trouve en question. En somme, ce n'est pas la communication qui est indirecte, — c'est l'homme lui-même. Les limites à l'expression et à la communication sont les limites mêmes de l'être personnel. Les thèmes si souvent repris du *silence* et du *secret* doivent être eux-mêmes compris dans cette perspective. Sans doute, il existe un secret de l'homme, dès lors que l'on ne peut pas tout dire sans se supprimer soi-même, puisque dans l'ordre du discours aussi toute détermination est négation. Mais ce secret n'est que la marge d'indétermination entre le réel et le virtuel, entre le fait et la valeur, entre le présent et l'avenir. Non pas fin de non-recevoir opposée à l'expression, mais point de départ et matière même de l'affirmation personnelle. De même, l'apologie du silence, plus éloquent que toutes les paroles, plus riche et plus définitif, se fonde sur une confusion. Le silence n'est pas de soi une forme d'expression particulièrement dense. Il n'a de sens qu'au sein d'une communication existante, comme contrepartie ou comme sceau d'un langage établi. Il est des silences de pauvreté et d'absence aussi bien que des silences de plénitude, et ce n'est pas le silence qui fait la plénitude. Il faut que la relation humaine ait progressé par d'autres moyens jusqu'à ce point de perfection où les mots deviennent inutiles pour sanctionner la communion. Le silence ne possède donc aucune magie intrinsèque : il est un blanc dans le dialogue où les harmoniques de l'accord ou du désaccord existant peuvent se manifester. Le silence donne la parole aux profondeurs, lorsqu'elles sont en jeu, et aux lointains, s'il en existe.

A la notion de communication indirecte, il faudrait donc substituer celle d'une plus ou moins grande authenticité de la communication. Autrement dit, il n'y a pas de frontière fixe du langage, mais des frontières de l'homme, qu'il appartient à chaque vie personnelle de porter plus ou moins loin en ce qui la concerne. Le langage est un des agents de l'incarnation ; en lui l'exigence de l'homme prend corps en luttant pour sa propre manifestation. L'œuvre humaine par excellence est effort de présence au monde et poursuite des valeurs. Selon une belle parole du philosophe allemand Jaspers, la volonté de communication est la foi du philosophe. Désir de communiquer et de se communiquer, malgré tous les obstacles, volonté de contribuer à réaliser entre les hommes l'état de paix, c'est-à-dire, par delà les malentendus et la violence, l'entente plénière qui se prolonge et se vérifie en coopération effective.

LE MONDE DE LA PAROLE

La parole est pour l'homme commencement d'existence, affirmation de soi dans l'ordre social et dans l'ordre moral. Avant la parole, il n'y a que le silence de la vie organique, qui n'est d'ailleurs pas un silence de mort, car toute vie est communication et dès avant la naissance l'embryon se trouve inclus dans le cycle biologique maternel. Mais l'embryon, le nouveau-né, murés dans leurs impressions organiques, ne connaissent qu'une existence dépendante. L'affirmation de l'individualité commence lorsqu'elle a pris ses distances, lorsque la parole lui confère la double capacité d'*évocation* de soi et d'*invocation* d'autrui. L'être humain est un être en participation, et l'expérience de la solitude n'est qu'une certaine manière d'être sensible à l'absence d'autrui dans sa présence même. La réalité personnelle ne se constitue pas comme une unité originelle qui s'opposerait à la multitude ; elle procède de la pluralité vécue au niveau de la communication vers la constitution progressive d'une conscience de soi comme centre de relations.

Parler, c'est sortir du sommeil, faire mouvement vers le monde et vers l'autre. La parole réalise une émergence grâce à laquelle l'homme échappe à la captivité de l'environnement. « Sésame, ouvre-toi... », tout mot est un mot magique, ouvrant une porte d'entrée, ou de sortie, débouchant du passé dans l'avenir. La parole inaugure un nouveau mode de réalité, elle se développe en un champ de forces que régit une physique nouvelle selon les lois d'équilibre qui lui sont propres.

Rien de plus significatif à cet égard que la situation de l'homme privé de la communication par la parole avec autrui. Le sourd de naissance est aussi muet, car l'oreille est l'éducatrice de la voix. Cette déficience des moyens de communication montre bien que ce ne sont pas seulement des moyens, car elle équivaut à une paralysie quasi totale de l'intelligence. Les sourds-muets ont été réduits à une sorte d'idiotie, à une existence végétative, jusqu'au jour où on a trouvé le moyen de rétablir par des voies indirectes la communication qui leur manquait. En leur rendant la parole, on en a fait des êtres humains. Non moins probant est le témoignage de ceux que la surdité a frappés après une longue vie normale. Les tourments d'un Beethoven ou d'une Marie Lenéru montrent que leur mal est plus terrible que la cécité, — ainsi que le pressentait Montaigne : « si j'étais à cette heure forcé de choisir, disait-il, je consentirais plutôt, ce crois-je, à perdre la vue que l'ouïr ou le parler » (*Essais*, III, 8). En effet, la vue nous met en rapport avec la nature, mais l'ouïe est le sens spécifique du monde humain. Il suffit, pour s'en convaincre, de se boucher les oreilles un jour où l'on est mêlé à une société un peu animée : cette expérience de surdité artificielle rend tout à fait inintelligible le comportement des assistants. Il apparaît ainsi que les gestes, les attitudes, la mimique tout entière ne sont qu'un corollaire de la voix. La parole est la dimension capitale de l'expression, supprimer la parole, c'est faire de la réalité humaine une sorte de film muet et absurde. Le malheur du sourd correspond ainsi à une sorte d'exil, alors que l'aveugle reste rattaché à la communauté. De fait, l'aveugle excite la compassion de tous, tandis que le sourd est ridicule. Les « histoires de sourds » sont la sanction de son aliénation par une malignité sociale qui jamais ne s'exerce contre l'aveugle. Il n'y a pas d'histoires d'aveugles...

La parole est donc la fonction humaine d'intégration sociale. Une sociologie de la parole s'impose si l'on veut explorer la réalité humaine du langage, considéré ici comme la dimension propre de la communication. Le champ d'étude ainsi ouvert paraît extrêmement vaste, dans la mesure où il correspond à des structures et à des intentions très variées. Tout d'abord, le langage réunissant plusieurs personnes dans une entente plus ou moins complète, suppose un domaine de référence commun, donné dès le départ et que le développement de la communication ne cesse de remanier. Mais ce domaine de référence lui-même n'est pas simple ; il se multiplie à l'analyse. Sa première forme, et la plus apparente, est celle du *vocabulaire* et de la *grammaire* : l'échange de paroles implique la reconnaissance tacite d'un langage, garanti par une autorité sociale. L'usage de la langue se réfère lui-même à certaines règles de pensée. On ne peut s'entendre dans une discussion ou même dans une simple conversation, si l'on n'est pas d'accord sur les règles d'articulation des pensées, de convenance ou de disconvenance des idées entre elles. L'usage commun de la parole présuppose cet autre pacte social d'une *logique*, ensemble de normes pour la correction du raisonnement.

Mais cet idéal d'une vérité seulement formelle ne suffit pas à gager les rapports entre les hommes. Un autre sens de validité intervient pour autoriser nos accords ou nos désaccords. Par delà les opinions, une juridiction plus haute se prononce, seule apte à faire régner, en dernier ressort, l'ordre entre les pensées. « Quand nous voyons l'un et l'autre que ce que tu dis est vrai, écrivait saint Augustin, quand nous voyons l'un et l'autre que ce que je dis est vrai, — où le voyons-nous, je te le demande ? Assurément, ce n'est pas en toi que je le vois, ce n'est pas en moi que tu le vois. Nous le voyons tous deux en l'immuable Vérité, qui est au-dessus de nos intelligences » (*Confessions*, XII, XXIV, 35, trad. Labriolle). La forme appelle un contenu. La circulation des idées dans l'échange des paroles suppose elle-même l'arbitrage de valeurs méta-logiques ; la personne affirme ses attitudes fondamentales dans son obéissance à des principes qui la font ce qu'elle est. Ainsi l'accord au niveau du vocabulaire suppose la reconnaissance de certaines règles du jeu de la pensée, elles-mêmes subordonnées à des valeurs transcendantes, au niveau desquelles la communion devient possible.

Une série d'instances hiérarchisées intervient donc pour donner son sens à la communication par le langage. Il est des échanges de propos à bâtons rompus qui paraissent se développer au niveau de l'automatisme verbal, et du simple vocabulaire. Les discussions techniques où l'on met en œuvre des arguments en forme seraient plutôt de l'ordre de la logique, tandis que les entretiens intimes où deux vies personnelles s'affrontent sans rien réserver d'elles-mêmes se déroulent au niveau des valeurs qui régissent les inflexions de nos destinées. Il ne faudrait pourtant pas vouloir établir ici des oppositions trop tranchées. Tout usage de la parole implique à quelque degré les trois références que nous avons distinguées. Car l'accord sur le vocabulaire ne va pas sans l'acceptation de certaines structures formelles, et la logique la plus rigoureuse ne prend son sens que par référence à des valeurs : rien de plus passionné que les querelles des logiciens, et la précision même de leurs méthodes intellectuelles ne semble guère les aider à trouver des solutions communes.

Il importe donc, pour une saine compréhension de la parole, de distinguer les divers usages en fonction desquels elle se développe. Ainsi apparaissent divers régimes dans l'utilisation du discours. On peut *prendre la parole* parce qu'on est d'accord, comme pour affirmer et développer une entente déjà réalisée de soi à soi ou de soi aux autres. Monologue personnel ou entretien, c'est la parole paisible et allusive de l'intimité, où la logique n'intervient guère, puisque la communauté des valeurs vient sans cesse nourrir l'échange des propos. Parole de paix et d'équilibre, récitatif, solitaire ou alterné, de la bonne conscience. Mais on peut aussi prendre la parole pour chercher à se mettre d'accord avec soi-même ou avec autrui par une confrontation de bonne foi qui élucide les malentendus possibles. L'expression est ici prépondérante, car il est nécessaire d'expliciter le domaine de référence, en définissant les termes du vocabulaire et en précisant les règles d'enchaînement des notions. La préoccupation logique apparaît donc au premier plan, bien que la concorde ou la discorde, en fin de compte, résultent des structures de valeur qui fondent les partis pris fondamentaux de chacun. On peut également parler pour forcer l'accord de l'autre, pour lui imposer son propre point de vue. Ici la collaboration fait place à une sorte d'impérialisme. La part de la technique atteint à son maximum : rhétorique, dialectique, sophistique représentent des formes traditionnelles d'un art de persuader qui fait de la logique l'instrument du désir de domination. Convaincre c'est vaincre.

L'usage de la parole apparaît ainsi comme un élément constitutif de la *rencontre*. Monologue, dialogue, conversation, polémique, sermon ou plaidoyer représentent autant de formes de la coexistence entre les hommes. Une fois de plus nous constatons que les mots sont les témoins de l'être : ce qui se joue dans l'univers du discours, c'est le destin même des âmes.

HOMO LOQUENS

Si l'on veut dénombrer les variétés de l'exercice du langage, le plus simple est sans doute d'adopter un point de vue quantitatif. Le nombre des exécutants modifie chaque fois les lois du genre et sa nature même, selon qu'il s'agit d'un monologue, d'un dialogue, d'une conversation dont les participants sont plus ou moins nombreux, ou enfin d'une manifestation oratoire mettant en scène un auditoire de masse.

Le *monologue* apparaît comme la forme la plus réduite de cette sociologie de la parole. Langage du solitaire, dont l'usage est tout personnel, une sorte de début dans l'aventure oratoire. Les psychologues et les philosophes se sont intéressés particulièrement, à la fin du siècle dernier, à ce langage en première instance, qu'ils appelaient « parole intérieure », et dont ils essayaient de définir les rapports avec la pensée. Puis les romanciers ont repris le thème et l'ont rajeuni sous la forme d'œuvres qui s'efforcent de restituer le développement de la conscience parlante : après le Français Dujardin et avant l'Américain Faulkner, c'est sans doute l'Irlandais James Joyce qui a réalisé dans son *Ulysse* le chef-d'œuvre du genre. Cet énorme roman prétend exprimer le monologue intérieur d'un seul personnage pendant une journée, — le courant de conscience y prend une allure d'épopée évoquant en sa spontanéité le mot à mot d'une pensée à l'état naissant.

En dehors de toute considération de littérature ou

d'esthétique, l'idée même du monologue intérieur pose un problème humain : rien n'est moins sûr que cette identification de la conscience personnelle à un langage perpétuel, dont l'ingénuité, d'ailleurs, est chez l'écrivain le comble de l'art. En tout cas, le monologue n'est pas le point de départ de la parole, il serait bien plutôt une chute au-dessous de son niveau normal, l'affirmation d'un repli ou d'une sécession. Parole quasi souterraine, vice solitaire, car ce qu'on se dit ainsi à soi-même, on n'oserait pas le *soutenir* devant autrui. Les mouvements de cette pensée obéissent aux directives les plus frustes de l'être biologique : instincts, désirs y règnent en maîtres. Ce n'est pas l'expression de la personne, mais de sa cénesthésie, et tout au plus la rêverie d'une existence qui n'a pas la force virile de se réaliser.

Aussi bien est-il facile de mettre en lumière que l'intimité authentique de soi à soi ne supprime pas la relation à autrui. Robinson dans ses années de solitude, ou plus près de nous l'amiral Byrd terré seul pendant des mois dans un poste d'observation polaire, ne sont pas retranchés de la communauté humaine. Leur monologue n'est pas intérieur ; plus exactement il ne s'agit qu'en apparence d'un monologue. La pensée active, constructive, ne cesse de se référer à des présences effectives. L'invocation atteindra son destinataire avec un certain retard, mais elle intervient comme une intention pour animer le mouvement de la pensée. Pour chaque homme, l'attitude naïve en face d'un événement nouveau, et qui fait question, se présente sous la forme : « il faut que j'en parle à tel ou tel... ». Et les moralistes qui faisaient de la conscience la « voix de Dieu » signifiaient par là que chacun de nos instants suppose un interlocuteur qui fait autorité par rapport à nos ruminations solitaires.

Le point de départ pour l'usage de la parole n'est donc pas le monologue, mais le *dialogue*. Il n'est pas bon que l'homme soit seul pour parler. Le monologue est le commencement de la folie, l'affrontement d'autrui est le commencement de la sagesse. « Tout monologue est par nature échevelé, écrit le critique espagnol Eugenio d'Ors. Grâce au dialogue, l'âme des autres pénètre dans la nôtre par interstices, comme le peigne enfonce ses dents aux remous d'une chevelure en désordre. Elle y pénètre en la débrouillant et la met en ordre » (*Au Grand Saint Christophe*, trad. Mallerais, Corrêa, p. 117). L'image est ingénieuse ; elle évoque l'efficacité du *dia*-logue pour rendre la méditation *intel*-ligible, c'est-à-dire pour permettre à l'individu solitaire de lire entre les lignes de sa propre pensée naturellement confuse. La fantaisie indolente cède la place à l'obéissance : l'autre exerce sur moi une véritable direction de conscience, qui, par delà l'échange des propos, institue une véritable collaboration. La deuxième voix ne se borne pas à un rôle d'accompagnement ou d'écho. Elle se fait l'éducatrice de la première, pour l'apprentissage de la coexistence.

L'épreuve du dialogue est donc la première pierre de touche de l'universalité, et la plus décisive. Si je désire m'entendre avec autrui, lui faire partager ma certitude, je dois procéder pas à pas, diviser la difficulté afin d'assurer sans rupture l'adhérence d'un esprit à l'autre. Sans cesse, lorsque l'interlocuteur ne suit pas, il faut revenir en arrière et de nouveau le prendre en charge. Ainsi procède Socrate, l'accoucheur des esprits, de question en réponse, selon les détours de la méthode d'ironie. Mais cet exemple illustre nous avertit lui-même que la vertu du dialogue a des limites. Socrate parle, et l'interlocuteur, chaque fois renouvelé, n'intervient que de loin en loin, pour ponctuer de ses approbations respectueuses les développements éblouissants du maître. La deuxième voix ne joue que les pauses, où le virtuose reprend haleine. Si le dialogue authentique est d'œuvrer en commun, sur un pied d'égalité, Socrate, qui prend toute la place, apparaît plutôt comme un être de monologue. En quoi d'ailleurs il demeure le patriarche de la philosophie, car le propre du grand philosophe est justement l'incapacité de s'entendre avec autrui. Les dialogues philosophiques n'aboutissent que lorsque ce sont des œuvres littéraires, comme les dialogues platoniciens, dialogues fictifs rédigés par un seul auteur. Malebranche, Berkeley ou Leibniz font ainsi alterner les voix de leur propre réflexion. Mais lorsque le philosophe rencontre un autre philosophe qui lui demande raison, le résultat est à peu près immanquablement un dialogue de sourds. Témoin Descartes, en face des objecteurs aux *Méditations*, Malebranche aux prises avec Mairan, ou encore un Kant, un Aristote si parfaitement incompréhensifs en face d'une pensée autre que la leur. L'expérience constante des sociétés de philosophie confirmerait, s'il en était besoin, ce fait que le penseur est à peu près toujours un homme qui parle tout seul et n'écoute pas ce qu'on lui dit.

Il n'y a pourtant pas lieu de s'étonner ici, ou de s'affliger. En fait, le dialogue philosophique affronte des personnalités mûries pour qui déjà les jeux sont faits. Elles se bornent à exposer une pensée consolidée, à laquelle on ne peut renoncer sans se renier. Or les conversions sont rares. Le dialogue véritable suppose une attitude ouverte et réceptive, à l'opposé de ces discussions stériles où chacun se borne à réaffirmer sa conviction, sans jamais céder d'un pouce, et où, en désespoir de cause, on finit par jouer à cache-cache, ou par se lancer des injures, moyen désespéré d'avoir le dernier mot. La vertu du dialogue n'est donc pas inhérente au genre lui-même, comme semblent parfois le croire les rationalistes. Une nouvelle dimension s'ouvre à la vie spirituelle, — mais il en est ici comme du mariage qui, sans amour, perd le meilleur de son sens. Le dialogue conjugal peut se réduire à un long enchaînement de scènes de ménage. Il peut aussi se refermer sur le couple absorbé en soi-même dans un exclusivisme qui le détache du reste du monde et devenir une sorte de monologue à deux, où les égoïsmes individuels s'additionnent au lieu de se neutraliser.

Le dialogue offre une possibilité de salut, mais le passage ici du possible au réel suppose un parti pris d'accueil, d'ouverture au monde et à l'autre. L'échange des paroles ne signifie pas grand-chose s'il ne se fonde sur la reconnaissance d'autrui. Le signe distinctif de l'homme de dialogue, c'est qu'il écoute aussi bien qu'il parle, et peut-être mieux. Bienfait de la présence attentive, comme d'une hospitalité spirituelle, qui exclut le désir d'éblouir ou de conquérir, la prétention à la souveraineté. Le dialogue authentique scelle la rencontre des hommes de bonne volonté, dont chacun porte pour l'autre témoignage non de soi seulement, mais des valeurs communes. C'est pourquoi, dans les temps récents de l'esclavage, la grâce du dialogue apportait déjà une libération anticipée. Mais ces heures sont rares, et données seulement à ceux qui en sont dignes. La plupart des hommes échangent leurs propos sans jamais dialoguer. Les lieux communs composent leurs idées, et les préjugés régnant dans leur petit cercle social leur tiennent lieu de valeurs.

Lorsque le nombre des interlocuteurs dépasse deux, le

dialogue fait place à la *conversation*. L'intimité décroît à mesure que se multiplient les participants, car le domaine de référence implicite de la causerie, dénominateur commun de l'assemblée, sera d'autant moins personnel qu'il met en cause plus d'individualités différentes. Plus on est, moins on se confie. La conversation est pourtant l'un des modes les plus significatifs de l'être ensemble ; les romanciers l'ont abondamment décrit, mais il semble que sociologues et psychologues ne lui aient pas donné toute l'attention qu'il mérite. Son importance dans la civilisation française ne saurait en effet être exagérée. La « vie de société » pendant des siècles, s'est fondée sur une éthique et sur une liturgie de la conversation, qui a marqué profondément notre littérature et dont le génie même de la langue demeure comme imprégné. A l'étranger, l'un des signes distinctifs du Français est l'aisance de sa parole, la souplesse de son esprit, qui le prédisposent à faire figure de brillant causeur dans les jeux de la conversation.

Il ne s'agit pas ici, bien entendu, de la discussion technique, portant sur un objet précis et devant aboutir à une décision, mais de la conversation comme mise en œuvre symphonique de bonnes volontés qui concourent suivant certaines normes sociales. En somme, tapisserie ou mosaïque, une sorte de vivant ouvrage de dames, car les femmes ont de tout temps animé cet exercice. On devisait déjà, au moyen âge, dans la chambre des dames, et les cours d'amour faisaient écho, dans un style élégiaque, aux rudes passe-temps des seigneurs, la chasse, la guerre et les tournois. A partir de la Renaissance, on assiste peu à peu à la substitution du *salon* au champ clos des tournois. La conversation devient un autre sport, et plus distingué, un tournoi d'esprit autour d'une dame de qualité, Marguerite de Navarre, la marquise de Rambouillet, leurs héritières nombreuses du XVIIIe siècle, en attendant les « présidentes » et les Verdurin du XIXe. La « ruelle » des précieuses, le bureau d'esprit, le salon deviennent le théâtre de célébrations rituelles où la parole déploie le décor verbal d'un style d'existence original.

Un nouveau type d'homme se crée alors, l' « honnête homme » façonné et codifié par les moralistes du XVIIe siècle, précurseur du moderne « homme du monde ». Il n'est certes pas demandé à chacun d'être un brillant causeur, mais il importe de pouvoir faire figure dans le jeu. La politesse mondaine devient le type même de l'obligation morale. L'honnête homme, défini dans le livre célèbre du jésuite Baltasar Gracian, c'est l'homme de cour. Pascal aura beau jeu de s'élever là contre, lui qui n'aime pas le monde et tourne en vice ses vertus. Pourtant l'idée même de politesse évoque la communauté *(polis)*. L'homme poli fait vœu de bonne société, s'opposant par là à la nature, et rompant avec la lutte pour la vie, afin de tenir dignement son rôle dans cette danse gracieuse, dans ce ballet des esprits, où chacun doit savoir à son tour s'effacer, laissant la place à l'affirmation d'autrui. Discipline de mise en valeur mutuelle, où chacun paie de sa personne afin que soit plus accomplie l'œuvre de tous. L'esprit français, la langue française classique, riche de sa vocation d'universalité, sont le fruit de ce lent apprentissage, auquel nous devons Mme de Sévigné et Racine, La Bruyère et Montesquieu, et ces causeurs qui éblouirent l'Europe, un Voltaire, un Diderot, un Mallarmé, un Valéry.

La musique de chambre de la conversation a pourtant ses réfractaires, ses objecteurs de conscience. Ils lui reprochent d'être un genre artificiel et faux, le feu d'artifice de l'esprit qui étouffe la voix de l'âme. *Animus* s'y fait le geôlier d'*Anima*. De là la protestation, à travers le temps, des hommes de dialogue, des hommes de cabinet, des hommes d'écriture : un Rousseau, un Maurice de Guérin, un Vigny, un Tolstoï, un André Gide, soucieux d'influence profonde et sans doute aussi malhabiles causeurs. La conversation leur pèse comme les obligeant à se faire sans cesse excentriques à eux-mêmes, en concurrence avec autrui dans un effort de commune aliénation où l'on ne triomphe qu'en se perdant soi-même

L'élément d'inauthenticité de la conversation vient sans doute de ce qu'elle offre à celui qui parle un premier public, si restreint soit-il. Dans le dialogue, les personnalités affrontées s'engagent l'une et l'autre sans le recul qui transformerait l'entretien en spectacle. C'est la troisième personne qui constitue le premier public : à cause d'elle, et pour elle, le cabotinage interviendra ; il ne cessera de croître avec l'augmentation du nombre des auditeurs. La parole d'usage social, celle du professeur ou du prédicateur, de l'avocat, de l'homme politique, définit un genre nouveau, l'*éloquence*. Ici toute réciprocité disparaît. Un seul a la parole et du fait de sa situation privilégiée il exerce sur la masse un pouvoir d'incantation redoutable, fortifié par les recettes d'une technique millénaire. L'orateur est en effet un des types caractéristiques de l'homme d'Occident, il représente en un certain sens l'idéal même que s'efforçait de réaliser la culture classique en façonnant ses élèves. Jusqu'au début du XXe siècle, l'enseignement secondaire culminait dans la classe de « rhétorique » ; les dissertations des collégiens portaient en français comme en latin le nom de « discours », et les professeurs chargés de l'étude de la prose disposaient de chaires d' « éloquence ».

Notre époque a vu s'effacer le caractère oratoire de l'éducation. Mais elle a vu s'affirmer des dictateurs dont la parole exerçait sur des masses immenses un pouvoir d'envoûtement sans exemple. Elle se méfie des tribuns. Jules Renard écrivait déjà dans son journal : « il est beaucoup plus facile de parler à une foule qu'à un individu ». L'orateur nous noie dans la foule, et l'homme de la foule est un homme déchu, ployable à tout sens. Nous redoutons l'exaltation passionnelle des masses totalitaires. Plus généralement, l'homme de parole semble toujours à la recherche d'un abus de confiance. L'orateur en effet n'est pas quelqu'un qui déclame devant un public de figurants, il se prétend le porte-parole de ceux auxquels il s'adresse. Le professeur veut être la voix de la classe comme l'avocat celle du jury. Le monologue apparent correspond à une sorte de dialogue, mais inégal, à une lutte d'influence, à une lutte pour l'influence, où la mauvaise foi bien souvent triomphe de la bonne. Il peut y avoir des orateurs honnêtes, mais c'est l'art oratoire qui ne l'est pas. L'homme de parole, *homo loquens*, *homo loquax*, apparaît comme le metteur en scène de sa propre conscience, sinon de celle d'autrui, et par là toujours suspect d'inauthenticité. Là même où on admire l'artiste, on n'est jamais très sûr de l'homme, de cet homme toujours en quête d'approbation, comme incapable d'exister à lui tout seul, et, au bout du compte, tributaire de ce public même qu'il asservit.

C'est l'invention de l'imprimerie qui a entraîné la décadence de l'art oratoire. Elle a mis en lumière le fait que l'éloquence est captive de l'immédiat, enfermée dans un présent où les valeurs se confondent, faute de pouvoir s'échelonner dans l'espace et dans le temps, se composer suivant un ordre qui échappe aux entraînements de l'émotion. Les instincts habilement sollicités peuvent toujours avoir raison de la raison. La vérité naît de la réflexion, de ce lent et fructueux retour à soi, que les prestiges de l'éloquence ont communément pour but d'empêcher à tout prix. L'objection à l'orateur viendrait donc de ce qu'il risque toujours de faire passer l'actualité de l'événement avant l'actualité de la personne.

LES TECHNIQUES DE FIXATION DE LA PAROLE

« Chez les Grecs, écrivait Fénelon, tout dépendait du peuple, et le peuple dépendait de la parole » (*Lettre à l'Académie*, IV). La civilisation antique tout entière est une civilisation de la parole, qui incarne l'autorité, et permet seule de parvenir au pouvoir. L'histoire de l'antiquité, et l'homme même d'autrefois, ne nous deviennent vraiment intelligibles que si l'on tient compte de ce fait capital. Autrement dit, il y a une évolution de la parole à travers le temps. L'apparition de techniques nouvelles multiplie sa portée, en lui ouvrant des dimensions inédites qui transforment la structure même de l'existence. L'homme a cessé d'être seulement l'être qui parle, il est devenu l'être qui écrit et qui lit, et la face du monde s'en est trouvée transformée.

L'émergence de l'humanité supposait cette première révolution que constitue le passage du monde vécu au monde parlé. La réalité humaine se définit d'abord comme un ensemble de désignations, son unité est celle d'un vocabulaire. La première civilisation est une parole en expansion, et ce caractère suffit à nous donner la clef de la conscience mythique, puisque aussi bien mythe signifie parole *(muthos)*. Au sein de ce genre de vie, la parole est liée à un support vivant, parole de quelqu'un, rapportée par quelqu'un. La seule réserve de parole, le seul procédé de conservation, est la mémoire personnelle, extrêmement développée, ainsi que la mémoire sociale, la tradition et la coutume. Civilisation de l'on-dit, de la rumeur, où la parole peut tout, — civilisation de la formule, du secret, de la magie. L'autorité appartient aux anciens, aux vieillards en qui survit le trésor de l'expérience ancestrale, jalousement gardé, mais fragile et menacé, car si celui qui sait disparaît, personne ne saura plus. La découverte de l'isolé ne profite qu'à lui seul. Le patrimoine communautaire est suspendu à la continuité des hommes. Il ne peut être mis à l'abri, capitalisé en dehors du circuit des vivants ; il doit toujours s'affirmer en acte, et de ce fait ses limites sont celles-là mêmes des possibilités d'une mémoire humaine, avec ses déformations et ses fabulations.

Davantage encore, on peut penser que l'homme préhistorique, justement parce qu'il ignore l'écriture, ne sait pas parler tout seul. Il n'existe qu'au niveau de la conversation, c'est-à-dire de la participation. A la civilisation orale correspond une culture diffuse, une littérature anonyme où les œuvres non signées appartiennent à tout le monde et à personne. C'est l'âge patriarcal de l'épopée (étymologiquement : ce qu'on exprime par la parole), de la légende (ce qu'on raconte), de la ballade, du conte et du dicton, trésors populaires, fruits d'un inconscient collectif, paroles qui volent et vagabondent à travers le monde, paroles trop souvent envolées à jamais parce que, lorsqu'elles vivaient encore, personne ne s'est soucié de les fixer une fois pour toutes.

L'invention de l'écriture a bouleversé le premier univers humain, elle a permis le passage à un nouvel âge mental. Il n'est pas exagéré de dire qu'elle constitue un des facteurs essentiels dans la disparition du monde mythique de la préhistoire. La parole avait donné à l'homme la domination de l'espace immédiat ; liée à la présence concrète elle ne peut atteindre, dans l'étendue et dans la durée, qu'un horizon raccourci aux limites fuyantes de la conscience. L'écriture permet de séparer la voix de la présence réelle, et donc elle multiplie sa portée. Les écrits restent, et par là ils ont pouvoir de fixer le monde, de le stabiliser dans la durée, comme ils cristallisent les propos et donnent forme à la personnalité, désormais capable de signer son nom et de s'affirmer par delà les limites de son incarnation. L'écrit consolide la parole. Il en fait un dépôt qui peut attendre indéfiniment sa réactivation dans des consciences à venir. Le personnage historique prend la pose devant les générations futures, il relate sur le basalte, le granit ou le marbre, la chronique de ses hauts faits.

Ainsi l'invention de l'écriture délivre l'homme du règne de la tradition et de l'on-dit. Une nouvelle autorité va naître, celle de la lettre substituée à la coutume, dans une ambiance sacrée. Car la première écriture est magique, de par ses prestigieuses vertus. Les premiers caractères sont hiéroglyphes, c'est-à-dire signes divins, réservés aux prêtres et aux rois. Le droit écrit apparaît d'abord sur les tables de la loi, que les dieux du ciel communiquent aux hommes. Le code divin remplace la tradition et stabilise l'ordre social en rendant possible une administration d'expansion indéfinie. La nouvelle autorité s'incarne en des hommes nouveaux, hommes d'écriture, lettrés, prêtres et scribes, qui mettent en œuvre l'efficacité de leur technique dans un secret jalousement gardé. La parole des dieux devient elle-même une Écriture sainte. Les grandes religions, Judaïsme, Christianisme, Islam reposent ainsi sur le dépôt d'un texte sacré dont les clercs et les commentateurs assurent la garde et l'interprétation.

L'écriture, la lecture sont donc d'abord le monopole d'une caste de privilégiés. Les lettrés forment une élite, qui se reconnaît à l'usage de la langue écrite, spécifiquement distincte de la langue parlée. Car « on n'écrit jamais comme l'on parle, note M. Vendryes ; on écrit (ou l'on cherche à écrire) comme les autres écrivent » (*Le langage*, p. 389). La langue vulgaire ne peut revêtir la dignité de l'écriture. Jusqu'à nos jours, la recherche du style est le signe distinctif de la langue écrite, et la moindre lettre nous oblige à recourir à des formules empruntées, qui n'interviennent jamais dans la conversation. Il existe en pays musulman, un arabe littéraire, langue morte qui se survit pour l'écriture, et un arabe dialectal, que l'on parle, mais que l'on n'écrit pas. On a pu dire, de nos jours, qu'un écrivain comme Valéry perpétuait dans ses livres la langue écrite du XVIIIe siècle qui, dès cette époque, se distinguait très nettement de la langue familière. Ainsi se maintient le caractère aristocratique de l'écriture, qui nous impose un régime d'archaïsme et de convention comme si le recours au papier et au porte-plume mobilisait en nous une autre conscience, distincte de la conscience parlante.

L'écriture a pourtant cessé d'être le privilège de quelques-uns. Elle fait partie du minimum vital de l'homme d'aujourd'hui, du moins en Occident — car dans l'ensemble de l'humanité, on compte maintenant encore une majorité d'illettrés. Une nouvelle révolution technique est intervenue au XVIe siècle, avec la découverte de l'imprimerie, qui a bouleversé les conditions d'existence spirituelle en faisant passer la vie intellectuelle de l'âge artisanal à celui de la grande industrie. L'écriture, la lecture se trouvent désormais à la portée de tous. La consommation de papier imprimé ne cesse d'augmenter à mesure que se perfectionnent les techniques d'utilisation, si bien qu'aujourd'hui encore l'humanité souffre d'une crise latente, d'une véritable disette de papier journal. Dès le XVIe siècle, la diffusion du livre offre à chaque homme la possibilité, moyennant une initiation préalable, d'un accès direct à la vérité.

L'événement est d'une importance capitale : la vérité ne fait plus acception de personne, de caste ni de rang, L'esprit critique est né ; chaque homme est appelé à juger par lui-même de ce qu'il doit croire ou penser. L'humanisme de la Renaissance se fonde sur l'édition des classiques grecs et latins comme la Réforme est rendue possible par la diffusion de la Bible imprimée. Par une rencontre significative, la même assemblée du peuple qui décide, en 1536, l'adoption de la Réforme à Genève, décrète l'instruction publique obligatoire. Cette initiative mémorable dans l'histoire de l'Occident correspond à l'exigence de la nouvelle conscience religieuse qui veut aborder individuellement les textes sacrés. En même temps d'ailleurs, et pour les mêmes raisons, se constituent les langues littéraires modernes. Le latin suffisait jusque-là aux besoins de l'élite des clercs. La promotion intellectuelle de masses de plus en plus importantes pour lesquelles l'écriture et la lecture ne sont plus un métier, mais un élément de culture et de vie spirituelle, entraîne la formation des langues écrites constituées à partir des dialectes simplement parlés.

La civilisation moderne est une civilisation du livre. L'imprimé se trouve si intimement associé à notre vie que nous avons quelque peu perdu le sens de son importance. Mais qu'un seul jour nous soyons privés de journal, et nous vérifierons l'exactitude de la formule de Hegel disant que la lecture du journal est la prière du matin de l'homme moderne. L'imprimerie nous donne l'espace et le temps, le monde et les autres. L'univers dans lequel notre conscience en chaque instant nous situe est l'expression de nos lectures, et non pas le résumé de notre expérience directe, tellement restreinte en comparaison. Le rôle de la parole ne cesse de diminuer, tandis que l'imprimé multiplie sans fin la possibilité de communication entre les hommes.

L'imprimerie n'est d'ailleurs pas seulement une technique de mise en relation. Elle exerce son influence sur la structure même de la conscience. L'homme qui écrit et qui lit n'est plus le même que celui qui doit à la seule parole proférée son insertion dans l'humanité. Les valeurs en jeu se modifient profondément. La parole est captive de la situation ; elle suppose un visage et un moment, un contexte d'émotion actuelle, qui la surcharge de possibilités extrêmes pour l'entente comme pour la discorde. Au contraire, l'écriture donne du recul. Elle soustrait le lecteur aux prestiges de l'actualité. Elle le renvoie de la présence de chair, à une présence d'esprit, de l'actualité massive, chargée de sentiment, à une actualité plus dépouillée, non plus selon l'événement mais selon la pensée. Le pamphlet le plus passionné laisse à l'esprit critique des possibilités d'intervention qu'une harangue exaltée supprime tout à fait. A cet égard, l'écriture paraît une réflexion de la parole, une première abstraction qui tend à souligner sa signification en vérité. La parole écrite s'offre à nous, privée de son orchestration vivante, à la fois parole et silence. L'absence, le silence ici comme une épreuve qui fait mûrir les décisions et confirme l'amour. Sans doute n'y a-t-il pas de plus haute réussite humaine que l'entente de deux êtres dans l'authenticité, la communion plénière de deux vivants. Mais en dehors de ces moments d'exception, l'écriture, qui fait parler les profondeurs et donne aux résonances le temps de s'éveiller, offre à la vie spirituelle d'immenses possibilités. Elle ressuscite les morts et permet à notre pensée de rencontrer dans le recueillement du loisir les grands esprits de tous les temps. Encore faut-il, pour que l'écrit prenne tout son sens, que le lecteur soit capable d'accueillir la grâce qui lui est faite. Tout dépend en fin de compte de son ouverture propre et de sa générosité.

La découverte de l'imprimerie a donc été pour l'humanité une véritable révolution spirituelle. Il semble que notre époque, témoin de l'éclosion de techniques nouvelles, se trouve sous le coup d'un bouleversement non moins radical, dont les conséquences nous échappent encore. Les moyens d'enregistrement et de transmission de la parole connaissent une prolifération extraordinaire : téléphone, télégraphe, photographie, phonographe, cinéma, radio, télévision prennent dans l'existence de l'homme d'aujourd'hui une place sans cesse croissante. Ce ne sont plus là des procédés d'écriture abstraite ; la voix, transmise dans toute sa qualité sonore, accompagne l'image même de la personne, retenue dans la fidélité de son geste total, avec son mouvement, sa couleur, et parfois même son relief. Nous assistons à une restitution globale de la réalité, comme si la civilisation contemporaine, civilisation de masse, qui rend les hommes absents les uns aux autres, s'efforçait de compenser cette absence en multipliant les possibilités de présence artificielle. L'homme d'aujourd'hui connaît la voix et l'image de tous les grands de la terre. Le cinéma, le journal illustré lui donnent vraiment une conscience planétaire.

Il est difficile sans doute d'apprécier les conséquences

de l'évolution technique si rapide à laquelle nous assistons, et de prévoir en quoi seront différents de nous les hommes de demain, habitués à considérer comme banales des innovations qui nous paraissent quasi miraculeuses. Sans doute convient-il de se méfier d'un optimisme trop facile ou d'un pessimisme radical. Il est aussi absurde d'imaginer que l'homme lui-même deviendra meilleur par la magie des instruments nouveaux dont il dispose, que de se désoler parce que les moyens de dépaysement vont l'arracher à lui-même et l'abrutir à jamais. Tout au plus peut-on rêver à ce que sera une humanité où l'on n'aura plus besoin d'apprendre à lire, ni à écrire, lorsque l'usage généralisé du magnétophone permettra de fixer directement la parole et de l'écouter ensuite sans aucun chiffrage ni déchiffrement. Une pelote de fil remplacera le livre et l'imprimerie ne sera plus qu'un souvenir des temps archaïques. Une telle transformation ne bouleversera pas seulement la pédagogie. Elle modifiera la structure même de la pensée, — car la pensée n'existe pas en dehors de ses instruments, et comme préalablement à son incarnation. De même que la parole n'est pas un moyen d'expression, mais un élément constitutif de la réalité humaine, de même les techniques d'enregistrement mécanique feront très probablement sentir leur influence au niveau même de l'affirmation personnelle dans un sens qui demeure pour nous imprévisible. La civilisation du livre cédera la place à une civilisation de l'image et du son. Des arts nouveaux, dès à présent, prennent naissance et le génie humain voit s'ouvrir à lui de passionnantes aventures. La technique doit s'approfondir en conscience, elle doit élargir la conscience que l'homme a de lui-même, et donc augmenter de provinces nouvelles la réalité humaine.

VERS UNE ÉTHIQUE DE LA PAROLE

De notre brève étude, il semble résulter que seule la philosophie peut fournir une compréhension d'ensemble de la parole humaine. De nombreuses disciplines s'attachent à tel ou tel élément du parler. La fonction du langage, par exemple, fait l'objet d'investigations psycho-biologiques ou phonétiques. La langue, institution sociale, est le champ d'action particulier de la linguistique, de la philologie, de la stylistique. Lorsque nous lisons telle ou telle étude spéciale, nous sommes souvent frappés par son ingéniosité, sa pénétration, mais il nous paraît qu'elle manque l'essentiel. La parole n'est pas seulement un système sonore, un montage neurologique, elle représente un élément constitutif de la réalité humaine, de sorte que le fonction du langage ne revêt la plénitude de son sens que dans le contexte de l'expérience humaine globale. De même, une langue ne réalise que par abstraction un système fermé, intelligible par soi-même. La lexicographie, l'étymologie, la grammaire même mettent en lumière des mécanismes intellectuels désincarnés, et comme subordonnés à cette réalité vivante dont l'unité n'existe que dans et par les sujets parlants. Le phénomène total de la parole est un phénomène personnel.

Il en résulte qu'il échappe à toute détermination positive. La parole parlée peut se présenter comme une matière, comme une réalité déjà là. Mais l'essence de la parole doit être cherchée dans la parole parlante (Merleau-Ponty), c'est-à-dire dans l'exercice même où le parler intervient comme réalité donnante, vocation et évocation du monde et de l'homme. Cette parole parlante originaire fournit en dernière instance la seule clef pour l'intelligibilité des phénomènes sensori-moteurs, phonétiques ou linguistiques. Les spécialistes ici s'en tiennent aux causes secondes. Ils restituent par exemple, après coup, la généalogie des sons ou des mots, la filiation des sens, mais ils ne peuvent que constater les inflexions d'une histoire dont les vicissitudes demeurent imprévisibles. Ils déchiffrent le comment, le pourquoi leur échappe. Le plaisir intellectuel si particulier des études linguistiques correspond justement aux rebondissements imprévus et pittoresques des significations. Les mots ont un destin, heureux ou infâme, selon l'usage que les hommes en font. Les « lois » des diverses disciplines linguistiques se bornent en fait à décrire certains aspects du développement historique ; elles suivent à la trace une réalité dont elles ne donnent jamais qu'une approximation. Dans les sciences humaines, on ne peut prophétiser qu'au passé. L'avenir échappe au savant, parce qu'il met en jeu un pouvoir de décision qu'aucun système d'explication n'est encore parvenu à réduire à l'obéissance d'une norme matérielle ou intellectuelle.

L'intervention de la liberté donne ainsi sa véritable dimension au fait humain de la parole ; il confirme le privilège de la métaphysique sur la physique. Nous avons vu comment la parole assure la création de l'univers humain par la promotion de la nature à la culture. La transcendance initiale du Logos ou du Verbe divin telle qu'elle se manifeste dans les perspectives mythiques de toutes les eschatologies n'est que l'archétype de l'opération effective s'imposant à tout homme vivant de constituer son espace vital par la reprise des éléments linguistiques immanents au milieu. Le langage établi n'est qu'une possibilité qui demande à se réaliser. Chaque homme, qu'il en ait conscience ou non, est le maître de son vocabulaire comme il est le maître de son style. Sa manière de parler est caractéristique de son affirmation personnelle : la parole intervient en fait comme un principe d'individuation.

Le problème de la parole semble donc en fin de compte prendre tout son sens dans l'ordre moral. Chaque homme est tenu de se constituer un univers, c'est-à-dire de passer de la confusion mentale, morale et même matérielle du nouveau-né, à la présence au monde de l'adulte, présence au présent articulée en fonction de valeurs qui définissent les rapports avec le monde et avec autrui. Tâche virile par excellence et toujours à entreprendre, car l'homme est un être historique. Le mouvement du temps, le renouvellement de la situation remet en question tout équilibre une fois acquis, de sorte que le souci même de la permanence dans la véracité nous oblige à l'effort d'une création continuée, en chaque instant reprise. Ainsi la parole définit une instance suprême de la personne, le dernier mot, ou le premier, de l'existence en sa spontanéité, attestation de l'être singulier s'affirmant et se réaffirmant à la face du monde.

Cette signification fondamentale de la parole est mise en lumière par le caractère sacré qui lui est généralement reconnu, en dehors de toute référence religieuse. Davantage, il existe même une sorte de religion de la parole chez des hommes détachés de toute religion proprement dite, comme si un certain usage du langage pouvait tenir lieu d'eschatologie. Regulus respecte la parole donnée au prix même de sa vie ; le jeune officier de *Servitude et grandeur militaires*, prisonnier sur parole à bord d'un navire anglais, sacrifie, pour tenir parole, sa carrière et sa liberté. Une sorte d'impératif moral inconditionnel intervient ici, revêtu de cette sublimité que Kant reconnaissait au devoir. La parole donnée manifeste la capacité humaine de s'affirmer soi-même en dépit de toutes les contraintes matérielles. Elle est le dévoilement de l'être dans sa nudité essentielle, la transcription de la valeur dans l'existence. Dans une situation particulièrement tendue, où ma destinée se trouvait en question, j'ai engagé ma parole, comme le mot de la situation, le mot qui résout la situation, faisant de moi un être nouveau dans un monde transformé. D'autres ont eu confiance en moi, et je me suis uni à eux par l'engagement d'une fidélité réciproque. Le respect de la parole est donc respect d'autrui et ensemble de soi, car il témoigne du cas que je fais de moi-même. Le parjure se déshonore non seulement vis-à-vis d'autrui, mais à ses propres yeux.

La religion de la parole est donc un critère de l'authenticité personnelle. L'engagement de la parole montre que le langage humain non content d'indiquer la valeur peut devenir lui-même une valeur. La parole donnée définit un point fixe parmi toutes nos vicissitudes : c'est par la promesse que nous accédons du temps de la personne à son éternité. Elle opère la promotion existentielle de la vie usuelle, domaine de l'habitude et du désir, au règne de la norme, à la conscience de valeur en vertu de laquelle la personne se détermine à devenir ce qu'elle est. Toute parole en ce sens, même si elle n'a pas été formulée sous la foi du serment, est une promesse, et nous devons veiller à ne pas profaner nous-même un langage où les autres lisent le chiffre de notre vie personnelle.

L'homme, capable de parole, se trouve donc revêtu d'une dignité prophétique. En face de l'avenir incertain, la parole formule une anticipation ; elle trace parmi l'indécision des circonstances les premiers linéaments du futur. Dans son univers personnel, l'homme intervient avec un pouvoir d'initiative créatrice. L'homme qui donne sa parole s'énonce lui-même, et s'annonce, selon le sens qu'il a choisi, mobilisant toutes ses ressources pour susciter une réalité à la mesure de son exigence. Dès à présent, par la vertu du mot une fois prononcé, quelque chose a commencé d'être qui n'était pas auparavant. La parole change la figure de la situation, elle est le gage et l'engagement, la signature d'un contrat qui peut paraître une aliénation de la liberté, mais qui, en fait, consacre l'accession de l'homme à une liberté nouvelle par la vertu de l'obéissance.

Ainsi la parole en sa plus haute efficacité prend la signification d'un *serment*, ou encore d'un *sacrement*, parole en acte, parole qui est une action sacrée, moment de l'eschatologie personnelle où se noue le destin. Il est hautement significatif de cette valeur sacramentelle de la parole que la doctrine chrétienne du mariage, trop souvent méconnue, situe le sacrement dans l'engagement mutuel des époux : le prêtre n'est que le premier témoin de l'échange des consentements par quoi deux vies se trouvent désormais liées. Mais il est clair aussi que si la parole est promesse, elle ne vaut que tenue, et à proportion de la capacité de tenir de celui qui la profère. Il a donné un gage ; il demeure maître de la valeur qu'il attribue lui-même à ce gage. Tenir sa parole, c'est faire effort pour maintenir un certain sens de soi-même, dont on a une fois reconnu qu'il est constitutif de l'existence personnelle. La fidélité, dans le mariage comme dans tout autre engagement, n'est pas une routine, mais correspond à une répétition intime de la promesse, à une réactualisation permanente, qui fait de la parole un éternel présent. La tâche n'est pas simple de constituer la parole comme le seul point fixe au cœur d'une réalité humaine sans cesse variable, et peut-être tout serment promet-il plus qu'il n'est possible de tenir, — l'autre danger intervenant alors, de se faire l'esclave d'une parole donnée et périmée, que le temps a vidée de son sens, et qui s'impose désormais comme une vaine superstition. L'homme demeure le maître de sa parole, mais il ne peut renoncer à une fidélité morte que pour affirmer une plus vivante authenticité. De toute manière, le respect des engagements est respect de soi, et chacun se juge soi-même à sa capacité de loyauté essentielle.

Il apparaît donc impossible de fixer dans l'abstrait des règles absolues pour le bon usage de la parole. La tâche de l'honnête homme ne peut être assumée par personne d'autre que lui. En tout cas, les vertus maîtresses de fidélité, de loyauté, d'honneur, et les vices de mensonge, hypocrisie, parjure, sont liés à la pratique du langage dans la bonne ou la mauvaise foi. L'homme de parole est celui qui, dans un monde troublé, s'efforce de contribuer à la réalisation de la vérité. Non que le langage possède par soi-même une vertu magique : il n'y a dans le monde où nous vivons pas plus de mots propres que de mains propres, absolument. La parole ne vaut pas plus que l'homme qui la met en œuvre ; elle intervient dans le cheminement de l'existence comme un jalon et un repère,

— toujours ensemble point d'arrivée et point de départ. La perfection immaculée d'un langage définitif bloquerait au contraire le langage en un point mort qui ruinerait l'existence en la stabilisant.

L'éthique de la parole, dans une expérience de jour en jour renouvelée, affirme une exigence de véracité. Il s'agit de dire vrai, mais il n'y a pas de dire vrai sans être vrai. Ainsi se définit la nécessité d'une mise au net des relations de soi à autrui et de soi à soi. Les commandements ici sont clairs. Ce sera tout d'abord le refus de payer de mots, de se payer et de payer les autres avec des paroles qui ne soient pas autant de gages de l'être intime. Que la parole soit parole plénière, significative toujours d'une présence. La facilité verbale dissimule trop souvent le défaut de caractère. L'homme de parole ne paie pas de mots, mais paie de sa personne. Cette hygiène de la parole est d'ailleurs à double entrée, elle implique une clause de réciprocité. Il faut donner la parole à autrui, prendre garde de ne point se comporter à la manière de ceux qui font à eux seuls toute la conversation, n'écoutant jamais ce qu'on leur dit. Accueillir la parole d'autrui, c'est la ressaisir selon le meilleur de son sens, en s'efforçant toujours de ne pas la réduire au dénominateur commun de la banalité, mais de lui trouver une valeur originale. Ce faisant, d'ailleurs, en aidant l'autre à manifester sa voix propre, on l'incitera à découvrir sa plus secrète exigence. Telle est la tâche du maître, si, dépassant le monologue de l'enseignement, il sait pousser l'œuvre éducative jusqu'au dialogue authentique où se défriche la personnalité. Le grand éducateur est celui qui répand autour de soi le sens de l'honneur du langage, comme un souci de probité dans la présence au monde et à soi-même.

L'homme de parole s'affirme au cœur de la réalité humaine ambiguë comme un repère et un jalon, comme un élément de calme certitude. Et sans doute court-il le risque de solitude et le risque d'échec. On ne peut pas être vrai tout seul, et jouer seul le jeu si tous les autres trichent. Telle est du moins l'excuse facile de ceux qui s'efforcent de justifier leur manque de parole par la veulerie générale. Bien sûr, si tout le monde disait vrai, il serait facile à chacun de se conformer à l'usage commun. Mais la tâche morale consiste à prendre l'initiative dans le sens de l'obéissance à la valeur et non à la coutume. Il faut être vrai sans attendre que les autres le soient, et justement pour que les autres le soient. La personnalité forte engendre autour d'elle une ambiance de vérité. L'exigence qu'elle manifeste s'avère communicative, elle entraîne les autres dans son mouvement. L'homme de vérité rayonne une lumière qui renvoie chaque témoin à soi-même, et le force à se juger. Un Socrate, un Jésus, un Gandhi imposent à leurs interlocuteurs cette autorité dont ils se font eux-mêmes les premiers serviteurs. Leur parole exerce une efficacité intrinsèque qui force le consentement d'autrui.

L'homme de parole, en poursuivant pour son compte l'entreprise d'être vrai, contribue ainsi à mettre de l'ordre dans la réalité humaine. Il sait fort bien qu'il n'achèvera pas son œuvre, mais il a foi dans la possibilité d'une entente meilleure entre les hommes, d'une communication plus authentique. Le devoir est ici pour chacun d'assumer l'initiative créatrice qui est la fonction du Verbe. Une vie d'homme doit réaliser pour son propre compte la promotion de la nature à la culture, de l'animalité à l'humanité. Sans doute cette émergence est-elle facilitée par la société elle-même, qui prend en charge le petit enfant et le façonne selon les normes de son milieu. Mais cette éducation ambiante n'est jamais pleinement suffisante. Le passage du chaos au cosmos doit être sans cesse réaffirmé ; sans cesse la perspective ascendante doit l'emporter sur les menaces de déchéance. La parole fixe la détermination de l'homme, qui par la promesse et le serment prouve à lui-même et aux autres qu'il est le maître de son existence dans le temps.

Mais, en se formant lui-même, l'homme de parole travaille aussi pour l'unité humaine. Le paysage culturel de l'humanité est fait de paroles instituées, paroles données, paroles tenues ou paroles déchues. Il est vrai, comme l'affirmait la sagesse chinoise, que l'ordre et l'harmonie du monde reposent sur l'unité dans le langage. Or notre époque offre le spectacle d'une humanité disloquée, divisée contre elle-même, en proie à la malédiction de Babel. Nous vivons la confusion des langues et l'amitié impossible parce que les hommes, à la rigueur, ne s'entendent plus. Ce qui, par-dessus tout, fait défaut à notre temps, c'est la communauté des valeurs qui seule pourrait fonder le langage d'une culture unitaire dans chaque pays comme entre les nations. Sans doute la personne isolée ne peut prétendre découvrir à elle seule le remède qui permettrait de tirer le monde de l'enlisement dans le malentendu. Mais tout homme participe à l'aventure de l'humanité, et tout homme doit porter le souci de l'arracher à sa malédiction. Tout homme peut contribuer à la création d'un monde meilleur, préparé, annoncé et déjà réalisé par chaque parole messagère de bonne foi et d'authenticité. Tout homme peut faire que là où il est, les mots aient une valeur, c'est-à-dire que règnent la confiance et la paix dans l'œuvre commune. Le sens de chaque destinée peut s'inscrire dans le chemin douloureux et vainqueur de Babel à la Pentecôte, et la personne morale peut se donner pour tâche d'accomplir dans son monde sa fonction souveraine, de manière à pouvoir un jour prendre à son compte la parole que fit graver sur ses stèles le sage empereur de Chine : « J'ai apporté l'ordre à la foule des êtres et soumis à l'épreuve les actes et les réalités : chaque chose a le nom qui lui convient. »

TABLE DES MATIÈRES

1966-2. — Imprimerie des Presses Universitaires de France. — Vendôme (France)
ÉDIT. N° 28 940 IMPRIMÉ EN FRANCE IMP. N° 19 394

COLLECTION " INITIATION PHILOSOPHIQUE "

SUP

19 — Roger MEHL
LE VIEILLISSEMENT ET LA MORT

20 — Georges BASTIDE
LA CONVERSION SPIRITUELLE

21 — Jean LACROIX
LA SOCIOLOGIE D'AUGUSTE COMTE

22 — Joseph VIALATOUX
LA MORALE DE KANT

23 — Ivan GOBRY
LES NIVEAUX DE LA VIE MORALE

24 — Lucien DINTZER
LE JEU D'ADOLESCENCE

25 — François GRÉGOIRE
LA NATURE DU PSYCHIQUE

26 — Georges GUSDORF
LA VERTU DE FORCE

27 — Geneviève RODIS-LEWIS
LA MORALE DE DESCARTES

28 — Georges LE ROY
PASCAL, SAVANT ET CROYANT

29 — Paul CÉSARI
LA VALEUR

30 — Ferdinand ALQUIÉ
L'EXPÉRIENCE

31 — Bernard TEYSSÈDRE
L'ESTHÉTIQUE DE HEGEL

32 — Henri LEFEBVRE
PROBLÈMES ACTUELS DU MARXISME

33 — Étienne BORNE
LE PROBLÈME DU MAL

34 — René-Antoine GAUTHIER
LA MORALE D'ARISTOTE

35 — Henry DUMÉRY
PHÉNOMÉNOLOGIE ET RELIGION

36 — Jean-Paul WEBER
LA PSYCHOLOGIE DE L'ART

37 — Louis BORDET
RELIGION ET MYSTICISME

38 Louis ALTHUSSER
MONTESQUIEU

39 Sylvain ZAC
LA MORALE DE SPINOZA

40 René MUGNIER
LE PROBLÈME DE LA VÉRITÉ

41 François HEIDSIECK
LA VERTU DE JUSTICE

42 Roger LEFÈVRE
LA MÉTAPHYSIQUE DE DESCARTES

43 Ferdinand ALQUIÉ
LE DÉSIR D'ÉTERNITÉ

44 Joseph COMBÈS
VALEUR ET LIBERTÉ

45 Lucien MALVERNE
SIGNIFICATION DE L'HOMME

46 François PERROUX
ÉCONOMIE ET SOCIÉTÉ (F. 6 »)

47 Henri ARVON
LA PHILOSOPHIE DU TRAVAIL

48 Jean GRENIER
ABSOLU ET CHOIX

49 Jean GUITTON
JUSTIFICATION DU TEMPS

50 Ivan GOBRY
LA PERSONNE

51 Maurice CORVEZ
LA PHILOSOPHIE DE HEIDEGGER

52 Georges BÉNÉZÉ
LE NOMBRE DANS LES SCIENCES EXPÉRIMENTALES

53 Stanislas BRETON
ESSENCE ET EXISTENCE

54 Georges MOUNIN
POÉSIE ET SOCIÉTÉ

55 François HEIDSIECK
PLAISIR ET TEMPÉRANCE

56 Jean LECHAT
ANALYSE ET SYNTHÈSE

57 — Antoinette VIRIEUX-REYMOND
LA LOGIQUE FORMELLE

58 — Camille SCHUWER
LES DEUX SENS DE L'ART

59 — Gilles DELEUZE
LA PHILOSOPHIE CRITIQUE DE KANT

60 — François CHIRPAZ
LE CORPS

61 — Jeanne RUSSIER
LA SOUFFRANCE

62 — René DUCHAC
SOCIOLOGIE ET PSYCHOLOGIE

63 — Maurice MEIGNE
STRUCTURE DE LA MATIÈRE

64 — Raphaël LÉVÊQUE
UNITÉ ET DIVERSITÉ

65 — Mohamed Aziz LAHBABI
LE PERSONNALISME MUSULMAN

66 — Gilbert DURAND
L'IMAGINATION SYMBOLIQUE

67 — Émilienne NAERT
LA PENSÉE POLITIQUE DE LEIBNIZ

68 — Georges PASCAL
ALAIN ÉDUCATEUR

69 — Jean LACROIX
L'ÉCHEC

70 — Jean-Marie AUZIAS
LA PHILOSOPHIE ET LES TECHNIQUES

71 — Raymond VANCOURT
LA PENSÉE RELIGIEUSE DE HEGEL

72 — Noël MOULOUD
LA PSYCHOLOGIE ET LES STRUCTURES

73 — Rose-Marie MOSSÉ-BASTIDE
LA LIBERTÉ

74 — Denise BRIHAT
RISQUE ET PRUDENCE

75 — Marie-Madeleine DAVY
LA CONNAISSANCE DE SOI

76 — Gilles DELEUZE
LE BERGSONISME

Chaque volume in-8° couronne : F. 5 »